国宝探訪
楽しさは
無限大

米本 薫
YONEMOTO KAORU

幻冬舎MC

国宝探訪　楽しさは無限大

国宝展は過去に4回開催されました。1990年東京国立博物館「日本国宝展」、2000年東博「日本国宝展」、2014年東博「日本国宝展」、2017年京都国立博物館「国宝展」です。10年に1度くらいは開催されそうですが、早速来年2025年4月に奈良国立博物館では初めての「超　国宝」展が開催されると発表されました。その機会は国宝がまとめて200件近く観賞できますので、是非お出かけください。写真は京博開催の「国宝展」の前で

国宝を一番多く所有している都道府県は東京都で292件です。でも関東大震災や東京空襲で倒壊・焼失したこともあり、国宝の建造物はたったの2件です。その1件が迎賓館ですが、大正天皇のために東宮御所として建設されましたが、明治天皇の一喝で大正天皇はお住みになることはありませんでした。その迎賓館を背景に国宝の噴水の前で

日本のお城は戦争時の防御を目的として造られていますが、ここ松本城は徳川幕府が平和の時代になった象徴として、平和に月を愛でるための赤い柱の月見櫓を付けました。その松本城、通称烏城と呼ばれ、お堀の白鳥とのコントラストは絶妙です

紅葉の名勝高雄にある神護寺は国宝9件16点を所蔵しています。その中の三幅の武将肖像画はフランスでルーブル博物館のモナリザの絵と匹敵すると評価され、1974年伝平重盛像と交換に、モナリザのたった一度の海外展示を日本に招くことが出来ました。その神護寺の門前で紅葉に染まりながら

目次

第2章　国宝の建造物

第7章　大名家の国宝

第8章　番外編　人間国宝は国宝ではありませんが、国の宝です

前書き

国宝の全件制覇を目標に全国を回り始めて23年。令和6年（2024年）6月1日現在1143件（令和6年（2024年）3月15日文化庁文化審議会が文部科学大臣に答申した新たな6件を含みます）の国宝のうち1111件まで来ました。コロナのせいで足踏みをしていましたが、終息してきましたので、また精力的に出かけたいと思っています。コロナの期間に皆さんから多くのご要望をお寄せ頂きましたので、この機会に『国宝探訪　楽しさは無限大』の連載をベースに出版することに致しました。連載の当初からの狙いであったあくまで素人の皆さんに、こんなところを知っていたら国宝を見る楽しさが倍加すると思うことを取りまとめ、国宝へのお誘いをしていきたいと考えています。素人である我々が漫然と「きれいだね」「素晴らしいね」と見るだけでなく、こういうところに注意して見ると「国宝って凄い」「流石国宝ですね」と楽しくなるお話をお届けしたいと思っています。また素人として私も「どうして?」「何故なんだろう?」と当初不思議に思ったことの答えを見つける努力をしてきました。それと合わせて皆さんから尋ねられた疑問や質問を調べて分かったことを紹介していきたいと思います。

歴史や美術の教科書で学んだはずの国宝やテレビ番組で紹介された国宝の実物、本物を見て見たいとお思いの方、そして子供や孫にも一言語れるようにとお思いの方、仕事の合間に時間を割いて短時間でも国宝を鑑賞したいとお思いの働き盛りの方に、定年を迎えられてタイムリッチになられた方に、特に仕事一途や子育て専念で来てしまってこれから何をやろうかお考え方に、夫婦で一緒に楽しむことを求めておられる方に、「思い出す父と歩いたバージンロード、今は旦那とバージーロード」をお探しの方に、またお一人でもすぐお話し仲間が見つかることを探し求めておられる方に、楽しさは無限大の国宝探訪へお誘いをします。少しでも日常生活にきらめきと楽しさをお届け出来ればと願っています。

第1章

国宝は国の宝　国民の宝

国宝へのお誘いと国宝探訪の効用

Q1　どうして国宝の全件制覇を目指すようになったのですか？

私は平成12年（２０００年）に海外生活通算17年半を経験後日本に帰ってきて、はたと気付きました。「世界各国71ヶ国回って、教科書で見たような名所旧跡や世界の名画名品は沢山見たけれど、日本では何ほども見ていないなぁ」と思い当たりました。丁度その秋に運良く東京国立博物館（以下東博と称する）で「日本国宝展」が開催され、それを見に行きました。そこで国宝２３０点を見たら（国宝のカウントとしては１２５件でしたが）国宝の魅力にとりつかれました。どうしても全ての国宝を見てみたいという意欲がむらむらと湧き立ち今も続いています。その当時は国宝の件数は１０５１件でしたので、１日で２３０点も見られたのだから全件制覇もそれ程難しいことはなかろう、ライフワークとして日本の国宝全件を見てみようと決めました。点数と件数を間違えていたのに気付かずに始めて、それから23年、これまでのエピソードをお話ししていきます。

令和６年（２０２４年）６月１日文化庁公表の国宝の数に文化庁文化審議会が３月15日文部科学大臣に国宝指定を答申した６件を加えて国宝の数は１１４３件。平成12年（２０００年）に全国行脚開始当時の１０５１件から92件も増えました。今のところ開始当時の全件数は越えて１１１１件の制覇まで来ました。これからが今まで以上に困難を極めると思います。何故なら、基本的に非公開の国宝が多く残っているからです。公開されるものは全て見てきましたので、残りの32件中27件はこの非公開でも許されるカテゴリーに入るものです。童謡『池の鯉』のように「出てこい出てこい、国の宝」と歌いながら非公開との出会いに挑戦を続けます。

Q２　最初国宝の件数の数え方を間違えたのですか？

その通り、最初に国宝の件数と点数を間違えたように難しいと思いますし、そういう場面に出くわすと思います。この１１１１件までに学習したことや吃驚《きっきょう》したことは数知れずありますが、国宝の数を数えることもそれ程簡単でも単純でもありませんでした。何故なら、福岡県の沖ノ島「海の正倉院」では国宝は8万点余も一括で一つの国宝と数えられています。宗像大社沖津宮祭祀遺跡出土品（国宝指定番号考古資料29、これ以降「国宝指定番号」は省略します。）として1件です。そこから特別な金ぴかの作品だけを取り出して、例えば金銅製龍頭、船の舳先《へさき》に付ける龍の守り神を展示したり、また別の機会に金銅製高機《たかはた》、小型機織り機の展示を見ても、国宝を2点見たことになりますが、それは国宝2件とはなりません。別カウントとはならないのです。最初のうちは見た国宝の数が増えたように感じ喜んでいましたが、制覇した件数がそのまま増える訳ではありませんでした。それでも皆さんが福岡県の宗像大社の神宝館にお出かけになれば一度に数千点の国宝を見ることは出来ます。それは凄いと唸ることになると思います。

国宝の中に複数のものを一括指定しているケースは大変多いのです。その全部を一挙に見せることにはならず、博物館で公開する期間は留守を守るかのように本来の場所に一部は見学や参拝に来る人のために残しておく対策が取られることが多いのです。一品ものですと、折角出かけていったのに「只今東京に出かけております」と断り書きがあってがっかりすることもありますから、一括の国宝は部分出品になると思います。分かりやすい例として四天王像は４躯で国宝１件です。展示の時に増長天だけでも国宝１件とカウントしますが、別の機会に持国天、広目天や多聞天を見ても国宝の件数としては増えません。遺跡や古墳からの出土品や四天王や十二神将などの仏様の眷属《けんぞく》である従者や配下や一族などは複数点数が１件に数えられていますのでご注意をお願いします。それでも国宝の数が少ない時代には複数の件数に分けていたのに、現在は一括して１件に指定することが通常になってきましたので、逆に「えっ？　どうして？」と驚くことはあります。最初に国宝指定された姫路城の天守は実は5件の国宝で成り立っています。大天守（建造物11）、西小天守（建造物12）、乾小天守（建造物13）、東小天守（建造物14）、イロハニの渡櫓（建造物15）の5件別々に指定されています。翌昭和27年（１９５２年）に国宝指定を受けた松本城は天守、乾小天守、渡櫓、辰巳付櫓及び月見櫓（建造物40）が一括して、彦根城天守は附櫓及び多門櫓（建造物45）が一括で１件です。

また別の例では、厳島神社の国宝に彩絵檜扇（工芸品87）が１柄ありますが、厳島神社古神宝類（工芸品１５４）の中にも彩絵檜扇が３握ありますので、国宝　彩絵檜扇と紹介されていてもどちらが展示されているかははっきりしない場合があります。古神宝の一部ではない彩絵檜扇かどうかは神官に尋ねないと分かりません。古神宝類の彩絵檜扇を見ても古神宝の太刀類や装束類と同じ国宝なので数としては増えません。

もう一つ厄介なのは同名の国宝が数多くあるということです。その所蔵者を確認し、作者が異なっていないか、その特徴から呼称が付いていないか、文字や絵にどこか違っているところはないか、巻数が別ではないか、など確認すればある程度は判別出来ます。仏像彫刻は同名の国宝が多数ありますが、安置されている寺院やお堂などで比較的判別は容易です。ちなみに彫刻で多いのは薬師如来像の14件、阿弥陀如来像の13件、四天王像の10件、釈迦如来像と千手観音像の8件、十一面観音像の7件、弥勒仏の6件など、案外同名の国宝が多いので驚かれると思います。お祈りの対象の仏像ですので当然と言えば当然かもしれません。同じように、梵鐘も朝鮮鐘含め14件の国宝がありますが、これも置かれている寺院や博物館など場所で容易に判別が出来ます。梵鐘はお寺にあるものと思っていらっしゃるでしょう。でもこの2例は違います。朝鮮から直接伝来した梵鐘としては福井県常宮神社の朝鮮鐘（工芸品78）があります。太和7年（８３３年）新羅の蓮池寺の鐘として製作されたものを、豊臣秀吉の朝鮮出兵の戦利品として大谷吉隆が持ち帰りました。それを秀吉の命により常宮神社に奉納しました。滋賀の琵琶湖のほとりにある佐川美術館の梵鐘（工芸品１２７）には「延暦寺西宝幢院鐘、天安二年八月九日鋳在銘」とあり平安時代天安2年（８５８年）の製作だと分かります。高さ１１５cm口径55cmと姿は口径に比して身丈が著しく長く、肩から口縁部までほぼ直線で細みの梵鐘です。銘文は左（逆）文字で鐘身内に刻まれていますので外からは見えません。もともと比叡山西塔の宝憧院に架かっていたものです。ここは佐川急便が創立40周年記念に設立した美術館でその周囲を浅いプール状の水面に囲まれた大変美しい建物です。

絵画でも、元代末期の画家、因陀羅が描いた絵巻物「禅機図」を場面ごとに切り離して断簡としたので、5件同名の国宝となりましたが、「禅機図断簡」はそれぞれ場面が異なりますので、間違えることは少ないでしょう。根津美術館所蔵の「布袋図」（絵画84）、静嘉堂文庫美術館所蔵の「智常禅師図」（絵画87）、東博所蔵の「寒山拾得図」（絵画88）、石橋財団所蔵の「丹霞焼仏図」（絵画97）、畠山記念館所蔵の「智常・李渤図」（絵画１２５）の5件です。

また書跡・典籍の分野でも、中国の前漢武帝の時代に司馬遷によって編纂された正史の第一と言われる歴史書である『史記』は１３０篇もあり、ばらばらと別れて伝来しました。それを大江家国が書写したものが残っています。本紀12篇、表10篇、書8篇、世家30篇、列伝70篇のどの部分かは分かりますので、間違えることはないでしょう。東北大学所蔵の史記孝文本記第十（書跡・典籍１１３）、東洋文庫所蔵の史記夏本記第二、秦本記第五（書跡・典籍１２０）、毛利博物館所蔵の史記呂后本記第九（書跡・典籍１５２）、五島美術館所蔵の孝景本記第十一（書跡・典籍２１８）、石山寺所蔵の巻第九十六、第九十七残寒（書跡・典籍２４６）の5件です。また大燈国師墨蹟なども同名の国宝が5件ありますが、書かれている文章は違うので見分けがつきます。京都真珠庵所蔵の大燈国師墨蹟「看読真詮榜」（書跡・典籍29）、京都妙心寺所蔵の2件、大燈国師墨蹟「関山字号嘉暦己巳仲春」（書跡・典籍97）と「印可状元徳二年仲夏上澣」（書跡・典籍１８２）、京都大仙院所蔵の大燈国師墨蹟「元徳二年五月十三日与宗悟大姉法語」（書跡・典籍２１２）、大阪正木美術館所蔵の大燈国師墨蹟2幅「渓林」「南獄偈」（書跡・典籍２２３）の５件です。

『古今和歌集』も同名の国宝は10件ありますが、これは巻数と筆者で８件までは区別は出来ますが、古今和歌集元永本（書跡・典籍４）なのか曼殊院本（書跡・典籍90）は見分けるのは難しいと思います。古写された元永年間（１１２０年頃）なのか、伝来した曼殊院門跡なのかでは展示を見ただけでは分からないと思います。

中でも特に難しいのは刀剣類で姿形だけでは同じように見えて素人には分からないと思います。国宝　太刀銘正恒《まさつね》は６件ありますが、広島県ふくやま美術館所蔵（工芸品42）、東博所蔵（工芸品46）、鶴岡八幡宮所蔵（工芸品47）、大阪府の個人蔵（工芸品１３０）、愛知県徳川美術館所蔵（工芸品１４５）、京都国立博物館（以下京博と称する）所蔵（工芸品２３２）の太刀６振りが同名の国宝です。太刀銘吉房は５件ありますが、東博所蔵の１振りが織田信雄が秀吉に内通した疑いで家老の岡田三郎重孝を切った由来から号岡田切（工芸品１６０）と東博にもう１振り（工芸品２１６）の２振りあって号がなければ判別出来ません。島津家に伝来した東京の個人蔵（工芸品98）、広島県ふくやま美術館所蔵（工芸品１６４）、岡山県林原美術館所蔵（工芸品１７９）の太刀５振りが銘吉房同名の国宝です。

短刀　無銘正宗は、三井記念美術館所蔵の関ヶ原の戦いで東軍についた水野勝成が所持し借金のカタに紀州徳川家に渡り、水野勝成の武家官位が日向守であったので紀州で名付けられた名物日向正宗（工芸品68）、永青文庫所蔵のその身幅が3～4㎝あってその異風な姿が包丁に似ていることから名物包丁正宗（工芸品70）、大阪府の個人蔵の名物包丁正宗（工芸品73）、徳川美術館所蔵の名物包丁正宗（工芸品144）、岡山県林原美術館所蔵の鳥羽城城主九鬼守隆が所持し関ヶ原の戦いで親子分かれて戦ったお詫びの印として徳川家康に献上した名物九鬼正宗（工芸品206）の短刀5振りがあります。正宗は余程の自信があったのか、刀にも短刀にも銘を入れませんでした。その名刀ゆえに由来伝来から名物名が付いていますので見分けの判断はつきますが、包丁正宗だけは同じ名物名で見分けがつきにくいと思います。

一番間違いがないのは文化庁の国宝指定番号ですが、これは一般的に展示には明記されていません。明記されているのは土偶ぐらいでしょう。これからは国宝の表示の一部に指定番号を記載するようにして頂けると判別が間違いなく出来ます。是非とも東博など国立博物館から始めて頂けると皆さん助かると思います。

この指定番号の付け方には一定のルールがあって同じ年に同時指定される場合は、分野ごとに都道府県の北から順に並べて付けられます。同じ都道府県や同じ都市でしたら北に位置する方から順番になります。建造物でしたら岩手県中尊寺金色堂が一番北で建造物１に、建造物２は鎌倉円覚寺舎利殿、彫刻では一番北が京都広隆寺の弥勒菩薩半跏思惟像（宝冠弥勒）で彫刻１に、彫刻２は京都神護寺本堂の薬師如来立像、絵画１は普賢菩薩像、２は虚空蔵菩薩像でともに東博、工芸品もともに東博で工芸品１が太刀銘長光　号大般若長光、工芸品２が太刀銘定利　号綾小路定利、書跡・典籍もともに東博で書跡・典籍１が圜悟与虎丘紹隆印可状（流れ圜悟）、書跡・典籍２は大慧宗杲墨蹟尺牘《だいえそうこうぼくせきせきとく》十月初二日です。

Q３　国宝探訪の面白さや効用は何ですか？

私は学芸員でありませんので、あくまで一鑑賞者の立場で、この23年間日本全国を駆け巡り歩き回り、国宝を見てきました。その際に発見したことも含めて、国宝を見る楽しさや面白さや効用には、沢山あります。

第一は何といっても感動感激です。国宝は日本人のハートに迫ってきます。ハートを揺り動かす力があります。心の老化防止になります。匠や職人の技術、名も無い日本人の腕前は凄いと唸ります。細部まで神経が行き渡り気迫がこもり、隅々まで絶対に手を抜かない名人名工の技を見つけることが出来ます。国宝はじっくりご覧になってください。

第二は「知るは楽しみなりと申しまして、知識をたくさん持つことは人生を楽しくしてくれるものでございます」というのがＮＨＫ『面白ゼミナール』の鈴木健二アナウンサーの名セリフでしたが、国宝探訪も同じです。国宝探訪には無限大の知る楽しみがあります。

例えば、時代背景、忘れていた歴史の勉強になります。存在する場所、何故そこにあるのか地理や地政学の勉強になります。作者や登場人物、歴史上の人物の勉強をして作品を見ると身近な息遣いやつながりを感じられるようになります。これらの勉強は脳を活性化します。ぼけ防止に必ずなります。

第三に健康と健脚維持です。国宝のある場所は最寄り駅から近いところは少なく、案外多くの場合はかなりの距離を歩きます。寺院や神社の資料や情報を探し、旅行プランの策定のためにあれこれ調べるので脳力トレーニングになり、出かければ歩く分筋力鍛錬にもなります。旅行プランを練ると美味しい食べ物や温泉などにもぶつかります。このように楽しみと効用が国宝探訪には満載です。

加えて第四に、秘かな効用として、テレビ東京の『開運なんでも鑑定団』の鑑定価格や少なくとも真贋は殆ど当るようになります。勿論テレビは鑑定士の答えを出す前はカメラワークで出来るだけ本物らしく見せますし、偽物と判る部分は解答後まで隠しますので、当たらないことはありますが、作者の情熱や心血の注ぎ方が細部まで行き渡っているかどうかで真贋はかなり当てることは出来ます。お試しあれ。

Q4　国宝探訪の旅には奥様もご一緒されるのですか？

この答えも国宝探訪の魅力や効用だと思います。女房殿に「今度この国宝見に行くぞ」と誘うと、決まって「美味しい食べ物やお土産、料理はあるの？」「素晴らしい景色や絶景、温泉はあるの？」と聞かれます。二つがあると答えれば、「じゃ、行く」となります。夫婦円満の手助けにもなってくれます。国宝探訪の旅の効用に、その土地の名物料理、名産品や名湯が加わります。先輩友人後輩にお話をすると、皆さんが「それは楽しいね、自分も始めよう」という仲間も増えてきました。小生の連載を読んで頂いて、奥様と国宝を見る機会によって、お二人の時間がきらめくようになったとお聞きすると嬉しくなります。「それは気付かなかった、それは面白いですね」「そうか、次はそういう観点で見てみよう」とか、皆さんのお役に立てばという視点で書いています。

また本来の国宝観賞でも自分にとって嬉しいのは自分とは異なる視点からの意見が聞けることです。女房殿に限ったことではありませんが、友人知人でも異なるものの見方はハッとさせられ大変参考になります。また写真撮影の時にあれこれ注文つけてもちゃんと取ってくれることです。一人で行くと通りすがりの方に選り好みすることなくお願いするので、「このままの構図であそこに立ちますからこのシャッターを押してください」とお願いするのがせいぜいですので、注文をあれこれ付けられません。その点女房殿と行くと好きな構図で、駄目なら少し構図などを変えてもまた依頼出来るのは嬉しいことです。一度法隆寺の中門の前ででかいカメラを抱えた人に頼んだことがありましたが、その時だけは自分が考えた構図よりも数段素晴らしい写真を撮って頂いて驚きました。きっとあの方はプロの写真家だったのではと振り返っています。

平成24年（２０１２年）12月にはＮＨＫ『日曜美術館』の「美術にぶるっ」に出演させて頂きました。明治以降、重要文化財（以下重文と称する）に指定された美術品は当時51件ありましたが、その13件を一同に集めた展覧会が東京国立近代美術館で開催されました。それを私は「１００年後にこの13件の中からいずれ国宝になるのはどれか」という観点で見に行き、単に「きれい」「凄い」「素晴らしい」ということではない自分の個人的評価をＮＨＫに面白いと取り上げて頂きました。それには女房殿もチラリと登場して「国宝を見てきた日は満足感溢れる顔をして帰ってきますね」と喋っていました。その拡大編として令和5年（２０２３年）4月東京国立近代美術館70周年記念「重要文化財の秘密」には明治以降の作品の重文指定も増えて68件になり、そのうち51件が登場しました。同じように何年後かに国宝に指定されるのはこれかあれか吟味鑑賞しました。今回も私の鑑賞眼では間違いなく国宝になるのは横山大観作の40ｍに亘る山水画絵巻、「生々流転」なのだろうと思っています。登場人物たちが多少漫画チックに見える点は気になりますが、水の誕生から山肌に落ちせせらぎとなり、河となって岩を砕き、ゆったりと海に流れ出て、また水蒸気となって天に昇り、水滴が集まり雲となってまた水に戻るまでの壮大な流れは、雪舟の国宝　山水長巻（絵画26）の流れを近代に受け継ぐ大作だと思います。

国宝は国の宝、国民の財産

Q5　そもそも国宝って何ですか？　何故国宝なのですか？

さて国宝とは文字通り「国の宝」です。まず1級の建造物・美術品が重文に選ばれ、その中で特に芸術的に優秀なもの、学術的価値が高いもの、文化史的意義が深いものと認定された建造物と美術品です。それは当然世界的に見ても価値の高い重要な作品、選りすぐりの作品が国宝になります。「天下に只一つでなければ芸術品とは言えない」と明治の名工、「風神雷神図堆朱盆」の作者、逸見東洋の言葉ですが、まさしく国宝の選択基準はこれにあります。世界的に有名な浮世絵から国宝が未だ出てこないのは、版画なので唯一とは言えず、原画となる肉筆画が出てこないと国宝にならないのかなと心配しています。また調整されている訳ではありませんが、令和6年（2024年）5月1日現在重文が1万3446件ありますので、結果的に重文の約1割弱が国宝になっています。

一点もゆるがせにせず隅々まで一つ一つ精魂込めて描き上げた絵画、画面から出てくる空気がその季節をそのまま感じさせる絵画、自然の雄大さを余白にまで凝集したような山水画、少しでもずれると失敗になってしまうので緊張感溢れる墨の線だけで描く水墨画、目の前で繰り広げられるドラマを見るような緊張感ある絵巻物、ハートを鷲掴みにする例えようのない美しい菩薩像、魅入られてその場に30分でも1時間でも座り込んで眺めていたい素晴らしい如来像、たっぷりと墨を含み勢いのある伸びやかな筆跡、個性的な人間性が滲み出るようなおおらかな筆跡、きらびやかな料紙に息遣いが聞こえてくるような仮名の美しさ、匠たちが技術と伝統の粋を尽くし精緻を極めた工芸品、柱を組み合わせることだけで千年以上も耐えられる構造をもつ建造物、豪華絢爛で一日中眺めていたい装飾技巧の詰まった建築、これらは皆さんから教えて頂いた国宝の賛辞です。だから皆さん「これが国宝なのだ」と確信されたと思います。

Q6 国宝の分野で書跡・典籍と古文書は何が違うのですか？

国宝のジャンルは建造物と美術工芸品に大きく分けられます。建造物の中分類としては近世以前228件と近世3件に分類され、小分類として近世以前は神社43件、寺院157件、城郭9件、住宅14件、その他能舞台、学校、天主堂、お墓、水路橋の5件で、近世は学校、産業、住居の各1件ずつで計231件です。美術工芸品は未だ近世の国宝がないからでしょうが、時代では分類していません。小分類にあたる絵画166件、彫刻141件、工芸品254件、書跡・典籍235件、古文書63件、考古資料50件、歴史資料3件の計912件です。令和6年（2024年）6月1日時点で合計1143件になります。国宝を見ればそうかと分かる分野が多いのですが、素人にはよく分からないなと思うものもあります。まず考古資料と歴史資料ですが、縄文・弥生・古墳時代の出土品は判りやすいのですが、飛鳥・奈良・平安時代の出土品も経塚遺物や墓誌などは考古資料で、一番時代が新しいものが東京立川市の普済寺の国宝　石幢《せきどう》（考古資料14）で南北朝時代延文6年（1361年）と銘があります。国分寺の我が家から近いので時々見に行きますが、立川市の名前にもなった立川氏の菩提寺で、普済寺裏の中庭にガラスの覆屋《おおいや》の中に4面四天王2面阿吽の仁王像が彫られた六角の角柱に石の笠が載せられています。いつも石に彫られた見事な6尊像の姿に魅せられています。これなどは出土した訳でもなく、彫刻でも良いのではと思ったりします。現在新収蔵施設建設に伴う修理中で、令和7年（2025年）1月から公開が再開される予定です。

分かりにくいのが書跡・典籍と古文書の分け方です。これは昭和60年（1985年）に書跡・典籍から古文書を分化させ国宝指定番号も付け直しました。古文書の一番分かりやすい基準は、特定の者に用件を伝える、意思表示を行うために作成された文書で差出人と受取手が存在していることが明らかなことです。その種類としては、手紙や消息や書状類が代表的です。天皇の宸翰《しんかん》類や高僧の尺牘《せきとく》類は古文書です。珍しいものに豊臣秀吉宛の国宝　ポルトガル国印度副王信書（古文書34）もあります。所領や知行の承認や確認、諸官職の安堵や補任状、叙位の通達、土地や物の譲渡や売買の証文、訴状、寄進状など公家、武士、寺院、村落などのまとまった文書類は古文書です。円珍関係文書（古文書6）、智証大師関係文書典籍（古文書21）、東寺百合文書（古文書55）、東大寺文書（古文書56）、上杉家文書（古文書58）、島津家文書（古文書59）、菅浦文書（古文書62）などです。名前を聞けば何となく寺院や武家に伝来した文書だなと思いますが、菅浦文書はイメージが浮かばないと思います。これは琵琶湖の長浜市菅浦の鎮守須賀神社の開かずの箱に納められていた、鎌倉から江戸時代に至る村落の資料です。大正年間に発見された1281通65冊と菅浦与大浦下庄堺絵図で、庶民の貴重な資料です。他に勅書や起請文、処分状、奉納表、資材帳、献物《けんもつ》帳、御物実録、目録などの記録類、日記や旅行記類、墾田図や条理図の絵図類など色々多岐にわたり古文書はあります。古文書と聞いて「えっ?」と思うのは、国宝　那須国造碑（古文書10）、栃木県笠石神社に残る飛鳥時代の石碑です。考古資料でも良いと思いますが、石碑に彫られていた19字８行の計１５２文字が伝える文武天皇４年（７００年）と特定出来、当時の治世が分かる史料的意義が大きいと判断されたと思います。もう一つは国宝　平城宮跡出土木簡３１８４点（古文書61）です。これも考古資料でも歴史資料でも良いと思いますが、付け札や荷札としての木簡に庶民が使い始めたばかりで文字が残り、史書では知り得ない庶民の日常を伝える史料的意義が大きいと認められたから古文書に分類されたと思います。ということで、古文書は差出人と受取人が想定されている点が書跡・典籍と違う点です。次に書跡と典籍の区別は簡単に言えば、書跡は書のことで、典籍は本のことです。書跡としては、古筆《こひつ》と言われる平安時代から鎌倉時代にかけての仮名を中心とする和様書道の優れた作品で、多くは和歌をしたためたものです。もう一つは墨跡《ぼくせき》と称される禅僧、多くは臨済宗の高僧の書を指します。典籍は写本や版本も入れて第三者に向けに制作された書物です。その種類として中国で著述された史記や漢書などの漢籍、インドの仏教教書を中国で漢文に翻訳した法華経や賢愚経などの教えを説いた経典仏典、『万葉集』や『古今和歌集』などの和歌集や『栄花物語』や『更科日記《さらしなにっき》』などの物語や『日本書記』などの歴史書など日本で著した国書があります。

Q7　国宝ってどのようにして選ばれるのですか？

繰り返しになりますが、国家として保護すべき、歴史上、芸術上の価値の高いもの、また学術的に価値の高いもので日本人にとり大切なものが重文に指定され、その中から選りすぐられた唯一の名品、世界文化の見地から価値の高い作品、類稀なる国民の宝たるものが国宝に指定されるのです。それをあなたが認めたら真の国宝なのですが、公式にはこのような手続きを踏みます。

文化庁は京都移転を見据えて平成30年（２０１８年）10月組織改編を行い、分野別の組織を解消したため前より国宝指定のプロセスが分かりにくくなりましたが、とりあえずは文化財第一課（旧美術工芸課）と文化財第二課（旧建造物課）になったと了解して良さそうです。そこに合計35名の調査官が勤務し、指定文化財の研究調査、保存状態の確認、指定の原案作成をしています。美術のプロスタッフ集団です。その文化庁に文化財保護の最高諮問機関として5名の委員からなる文化財保護審議会があります。その５名がどなたなのかは公表されていません。その下に外部専門家75名が文化財指定の原案を詳しくかつ慎重に調査します。点数が多いと調査官の調査も大変だなと容易に想像されます。平成25年（２０１３年）国宝に指定された醍醐寺文書聖経の６万９３７８点（書跡・典籍２７６）や平成28年（２０１６年）国宝に指定された称名寺聖教金沢文庫文書２万８４１点（書跡・典籍２７７）などはご苦労されたと推察しています。さらに調査が進めば、追加指定も行われます。そうした調査結果を踏まえて、審議会で文化財指定の原案を審議し全会一致で確認し文部大臣に答申します。その答申を受けて文部大臣が決定する手順です。その手順は多少時間がかかり、文化審議会から国宝に答申されると新聞発表され、それから３ヶ月から６ヶ月はかかる例が多いようです。只、学術会議の委員推薦のように大臣に却下されたり覆されたりすることはありません。令和５年（２０２３年）６月静嘉堂文庫美術館の饒舌館長として有名な河野元昭氏にお会いして、かつて文化審議会の５名のお一人であったことを伺いました。

Q8 どんな要件が整うと国宝に選ばれるのですか?

第1級美術品や建築が国宝に選ばれる形式的な要件として二つあると思います。

一つ目は、日本人なり日本の組織が所有しているものです。

日本の第1級美術品でも明治初めの廃仏毀釈や戦後の困窮混乱期などに海外に流失したものが沢山あります。ボストン美術館は日本の美術品が11万点、大英博物館が3万点、メトロポリタン美術館が1万6000点など東博の所蔵点数10万点に比較しても大変な数が海外に流出しています。それらが日本に里帰りして特別展が開催されたことがあります。ボストン美術館の「平治物語絵巻　三条殿夜討巻」は作者も同じだと思われる東博の国宝「平治物語絵巻　六波羅行幸巻」（絵画109）や静嘉堂文庫美術館の重文「平治物語絵巻　信西巻」といずれ劣らぬ傑作です。また遣唐使の吉備真備《きびのまびき》のエピソードを描いた「吉備大臣入唐絵巻」や東大寺法華堂の「根本曼荼羅図」は日本に戻れば立派に国宝だと思います。

このように海外に流出したものもありますが、海外から日本に渡って来て国宝になったものも私が数えた限りでも１１８件あります。遣唐使や遣隋使が日本に持ち帰ったものや中国から日本に渡来した僧侶が携えてきたものなど中国からが１１４件の圧倒的な数です。朝鮮からが2件、欧州等からが2件となっています。こうして第1級美術品の流出と流入でおあいこと考えれば良いと思います。でも流失した先と流入してきた先とは国も量も違うので、そうは言えないでしょうとのご意見があることは承知しています。

日本で3件の曜変天目茶碗、静嘉堂文庫美術館所蔵の稲葉天目（工芸品17）、大徳寺龍光院所蔵（工芸品25）、藤田美術館所蔵（工芸品１２９）は国宝となっているのに中国では完品が見つかりません。しかも現代の名工も技術者も同じ出来栄えの曜変は未だ再現が出来ていません。随分と近づいてきたと思いますが、平成28年（２０１６年）12月の『開運！なんでも鑑定団』に、戦国武将三好長慶の子孫の屋敷の移築を請け負った際に購入した大量の骨董の中にこの曜変天目が入っていたという触書で出てきました。足利幕府足利義輝から三好長慶に下されたと推定され、骨董商であり古美術鑑定家特に陶磁器の目利きである中島誠之助氏も史上四つ目の曜変天目茶碗が出たと興奮気味でした。でも中島誠之助氏がその値段を２５００万円としたのにはさらに驚愕しました。多分国宝の曜変天目に値段を付けるなら5億円から10億円はすると思っていましたので、どこか虹のような虹彩やむらむらと湧く星雲が国宝とは違っていたのだろうと推量していました。録画した番組を繰り返し見ましたが確かにテレビの映像からはぼんやりとした青色よりは白い雲状でした。もっともいけないのは碗の裏高台に供御と彫られているのは中国南宋の建窯の作ではないという証拠にも見えます。だから遠慮して値段を付けたのだろうと思います。平成30年（２０１８年）１月中国の陶芸家李欣紅氏が、「骨董品のレプリカとして私が作りました」と別のテレビ局のインタビューに激白してお終いということになりました。いくらで売っていたか聞いてさらに驚愕、１４００円でした。学術調査を入れないまま終わってしまいましたので、本物ではなかったというのが真相だと思います。

二つ目が、学術調査がしっかりなされ、まずは真贋、作成された時代や年代の特定、作者や携わった工人集団の特徴など、間違いのない時代考証がなされたものです。そのものが確かに国宝に価するとの確証がなければ評価を確定出来ませんので、学術調査を入れることは絶対的条件です。これを回避したり拒否したりしている場合は文化財指定が出来ません。

逆にこの学術調査のお陰で多くの秘仏が表舞台に登場したという経緯がありま す。法隆寺東院夢殿（建造物28）に安置の観音菩薩立像、通称救世《ぐぜ》観音立像（彫刻22）や東寺御影堂安置の不動明王坐像（彫刻92）などが調査の対象になることで国宝指定がなされ、我々が拝観出来るようになったのです。法隆寺の救世観世音菩薩像は、１２００年間公開されていなかった厳重な秘仏で、明治17年（１８８４年）国から調査の委嘱を受けたアーネスト・フェノロサが、夢殿内のお厨子と救世観音の調査目的で法隆寺に何とか開扉させようとしたが、僧侶たちは仏罰が当たると猛反対したのを、フェノロサが押し切り、立ったまま木綿の包帯でグルグル巻きに巻かれた観音様を１２００年の眠りから解いたのが世紀の大発見となりました。その布は４５０ｍもあったと伝わっています。とにかく学術調査が入らないと重文にも国宝にもなりません。

この国宝の資格条件を話していると会社時代の友人Ｋさんから一つ目の条件に発想の転換とも言うべき傾聴に値する意見が出ました。「今日のグローバルの時代に世界に開かれた日本文化を標榜するならば、海外に渡った国宝級の美術品を国宝にしても良いじゃないの」というものです。「勿論、日本で制作された履歴がはっきりしていること、所蔵している海外の美術館、博物館の管理保管体制が日本の国宝を所蔵する美術館、博物館と同等以上であること、公開の条件も日本の基準と同等か日本の基準に従うという契約書や誓約書を取り交わせば、国宝に指定することを可能にしたら良いのでは」という意見でまとまりました。この画期的な考えを検討し採用して頂いて、日本の一級美術品の素晴らしさを広く世界に広めることになるのは良いのではと考えます。従来の一国主義から脱却して世界共通の財産と見做し、日本から流失したものだからと返還要求などしなくても世界の国々で楽しんで感動してもらえば良いという発想に変えたら如何でしょう。「日本に戻ってきたら国宝間違いなし」などと言っているよりはどこが所蔵してようが、その価値は不変なのですから世界遺産の日本の国宝版を作れば良いのではないでしょうか。

Q9　逆に国宝にならない一級美術品があるのですか？

世界遺産登録のお陰で国宝指定された正倉院正倉の前で

国宝にならない美術一級品としては、第一に皇室の御物です。

皇室の御物、これは天皇家の持ち物に良し悪しのランク付け評価をしてはならないという畏敬の念の表れです。従い奈良国立博物館（以下奈良博と称する）が毎年秋に勅封が解かれ宝物の点検が行われる機会に、９０００点ほどの宝物の中から厳選した60点ほどが毎年「正倉院展」で公開されます。令和５年（２０２３年）は第75回目を迎えます。この「正倉院展」に出品される正倉院の御物はいずれも国宝と考えられますが、宮内庁が管理する文化財ですので国宝と認定されていません。

唯一の例外として正倉院正倉（建造物219）は国宝と指定されています。その理由は東大寺一帯を世界文化遺産として申請する際に世界遺産の資格要件として国がその価値を認定し支持する必要がありました。世界遺産認定のために正倉院を国宝にしたという経緯があります。従い正倉院正倉の重文指定と国宝指定は同時で平成9年（1997年）です。その結果、平成10年（1998年）「古都奈良の文化財」が世界文化遺産として認定されました。

皇室の御物にも時代とともに少しずつ変化が起きています。昭和64年（1989年）1月昭和天皇の崩御に伴い、相続税の納税のため、遺産の範囲を確定する必要が生じました。天皇の晩年には、戦後に御物と称されたものであっても、国有財産なのか天皇の私物なのかが曖昧になっていた物もありました。そして三種の神器をはじめ、歴代天皇や皇族の肖像画や宸筆《しんぴつ》、皇室の儀式に用いる屏風や刀剣類など、皇室にゆかりの深い品々は、皇室経済法第7条により、皇位とともに伝わるべき由緒ある物「御由緒物」については国庫の帰属から除かれ、平成元年（1989年）以降も引き続き「御物」として天皇の私物とされました。残りの絵画、書、工芸品などの美術品類約3180件（約6000点）は同年6月に天皇家から国に寄贈され、引き続き宮内庁管轄の皇居三の丸尚蔵館に収蔵されています。御物は国宝に指定しない慣例が御物を外れることで期待通りに令和3年（2021年）に禁を外れ、まず5件、いずれも重文と国宝が同時に指定されました。狩野永徳筆の唐獅子図屏風一隻（絵画165）はこの前で豊臣秀吉が獅子の威を借りて戦国大名たちを睥睨《へいげい》した傑作です。作者の狩野永徳は太閤に天下人の威厳を与えるために工夫をしています。すぐにお気付きになるのは獅子から溢れ出るエネルギーを最大限に見せつけるための獅子の大きさと屏風内の配置です。尾を湧き立つエネルギーで張らませています。さらに歌舞伎役者の睨みと同じように、獅子には付いていない眉毛を付けて睨みを効かせています。威圧感溢れる眉の効果をご覧ください。さらに絵巻の名品として知られる高階隆兼筆の春日権現験記絵巻　20巻（絵画163）、蒙古襲来絵詞　2巻（絵画164）、伊藤若冲の代表作動植綵絵　30幅（絵画166）は京都の若冲の菩提寺相国寺に伝来しました。明治22年（1889年）廃仏毀釈で困窮した相国寺はこれを皇室に献上し下賜金1万円（ざっくり現在の1億円ほどか）で敷地を維持出来たといわれています。5件目は小野道風筆の屏風土代（書跡・典籍281）です。同年それらが出展される「日本美術をひも解く―皇室、美の玉手箱」が東京藝術大学大学美術館で開催され、待ち切れない思いですぐに出かけました。

　書陵部に保管されている68万点に及ぶ歴史資料にも国宝級が一杯ありますが、未だ御物から外れていませんので、残念ながら近い将来国宝になる可能性は少ないと思います。個人的には大好きな坂本龍馬ゆかりの薩長同盟裏書、西郷や大久保と決めた6カ条の密約が後から心配になった桂小五郎（後の木戸孝允）が自分の記憶で記述した薩長同盟書に、仲立ちした坂本龍馬が朱で保証を入れた薩長同盟裏書は間違いなく日本を回転させた国宝級の歴史資料です。有栖川宮熾仁親王が記した明治新政府の「五箇条の御誓文」も1級品書跡・典籍です。これらは皇室の御物のままで国宝にはなりません。

　宮内庁はホームページで皇室ゆかりの貴重な古文書、和歌集、絵巻物、そして正倉院御物などをデジタル画像で公開しています。もし本物を見たい場合は皇居大手門近くの皇居三の丸尚蔵館で時々展示がなされます。基本は無料ですので、貴重な国宝級美術品が出た際は是非とも足を運んで歴史の重さを感じてください。

　第二に、学術調査を拒否または回避されている絶対秘仏は国宝になりません。

絶対秘仏で写真もない代表例は、東大寺二月堂の本尊十一面観音像、浅草寺の本尊金無垢の聖観世音菩薩像、善光寺の本尊阿弥陀三尊像、園城寺の本尊弥勒菩薩像などは一切公開されません。厨子や御堂の中におられ目に見えなくとも、衆生の願いや救いの声は届くと考えられ、また御堂や厨子の中からの霊験も衆生に届けられると考えられています。目に見えないからとしても御利益に一切の不安はないと信じられています。それでも秘仏の前にはお前立ちと称する代りの仏様が立っておられることがあります。中には善光寺の絶対秘仏の前立仏のように重文に指定されている仏様もあります。

第三に、どうして国宝にならないのか疑問に思っていたことから三つめの理由が分かりました。それは保存状態が安定しないものです。

以前キトラ古墳の壁画が何故国宝にならないのかずっと疑問でした。高松塚古墳壁画（絵画１４８）が昭和47年（１９７２年）に発見されて、翌年特別史跡に、その翌年昭和49年（１９７４年）にたったの2年余りで国宝になったのです。ところが同様のキトラ古墳は実に発見から国宝になるまでに約半世紀近くかかりました。この差に国宝にする要件が新たに一つ加わったことが明白に分かります。そのお話をしたいと思います。

最大の発見　高松塚古墳壁画

古墳時代の最大の発見は、終末期7世紀末から8世紀初頭に築造された二段式円墳の高松塚古墳壁画です。昭和45年（1970年）明日香村の村人が生姜を貯蔵しようと墳丘南側に直径約60㎝の穴を掘ったところ、穴の奥に凝灰岩の四角い石が見つかったことが発端です。明日香村が資金を捻出し2年後の昭和47年（1972年）橿原考古学研究所の指揮の下で関西大学の研究者と学生が発掘調査に入り、発見されました。最初に見つかった石は石室の南の壁で脆い凝灰岩の切石で石室が組み立てられていることが分かりました。石室の大きさは南北が265㎝、東西が約103㎝、高さは約113㎝と小さく狭く、平らな底石の上に板石を立てた造りです。その板石の上に厚さ数ミリの漆喰を塗りその上に極彩色の絵が描かれていました。高松塚古墳壁画は、盗掘で崩れた南壁から入り正面の北壁に玄武が見え、右側の東壁に三つの切石が並べられそれぞれに奥から女子群像、真ん中に四神のうちの

世紀の発見飛鳥美人の壁画が出た高松塚古墳の前で

青龍とその上の金の太陽、手前に男子群像が描かれ、それと反対側の西壁も三つの切石からなり、向かい合って奥に女子群像、真ん中に四神のうちの白虎とその上の銀の月、手前に男子群像が描かれていました。最初に見つかった南壁は盗掘時に壊され多分朱雀が描かれていたと思われますが、残念ながら失われています。天井は切石が平置きされ平らで、星宿図が描かれています。あちこちに円形の金箔で星を表し、星と星の間を朱の線でつないで星座を表した星宿図です。男女の群像はいずれも4人一組で、計16人の人物が描かれています。中でも西壁の女子群

高松塚古墳の飛鳥美人壁画レプリカの前で

像はしもぶくれ風のお顔に女官の服装が色彩鮮やかで、歴史の教科書をはじめ様々な場所にカラーで紹介され、「飛鳥美人」のニックネームで知られています。シンポジウムに出かけたら、考古学者や遺跡調査官の最新の研究で、東壁の女子群像は当時の正当な画法に従って頭の位置が4人揃っていることより最高位の絵師が描き、西壁の女性群像は従来の画法に囚われず頭の高さや位置がバラバラの遠近法も取り入れる意欲的な構図で描いているので新進気鋭の若手の絵師の作だと推察出来るようです。次回飛鳥美人を見る時はこの事実を確認頂くと「なるほどねえ」と楽しくなります。また飛鳥美人の右側の女性の長いスカート部分、赤緑白青の４色の縦縞が並んでおり、裾には飾り鬟《ひだ》が付けられていますが、若い絵師は縦縞の１ヶ所を塗り忘れていることも発見すると楽しいですよ。さらに男性群像では東壁の絹を貼った長柄の蓋《きぬがさ》を持つ人物が描かれていますがその隣のイケメンがお札に出てくる聖徳太子の肖像画にそっくりなことも見つけるとハッとされると思います。

令和４年（２０２２年）は高松塚古墳壁画が発見されて丁度50年ですので、その前年２０２１年12月25日にオリジナルフレーム記念切手が発行されました。切手シートは通販期間６月22日までとあるのにあっという間に売り切れ、郵便局での販売は奈良県のみに限定された発売で、これを買いにわざわざ奈良県まで出かけるのもどうかと思っている内にこれも売り切れてしまい、入手出来ませんでした。ところがシンポジウムでは明日香村がこの記念切手シートを40枚限定で特別販売してくれましたので、幸運にも入手出来ました。

高松塚古墳では現代の石の名工が国宝を救い出します。学術調査や前田青邨を総監修に平山郁夫率いる画家５人が模写した後、石棺に外気が入ってカビが繁殖しないようにシリコーン（有機ケイ素化合物）で密封しました。昭和56年（1981年）以降年1回の定期点検を行ってきましたが、発見後30年経過したあと平成14年（2002年）から翌年にかけての点検調査で撮影された写真を調べた結果大量のカビの発生で、飛鳥美人が褪色激しく劣化が誰の眼にも明らかでした。これをどうするか大議論がなされ、石棺を永久密封する案も出ましたが「それでは文化財の価値がないのでは」との意見が出て、最終的に石棺を取り出してカビの除去と修復をすることで結論がまとまりました。しかし今度は脆くて剥がれやすい凝灰岩で出来ている石棺の壁や天井部分をどうやって無傷で取り出すのか、それが出来るのかが問題となりました。白羽の矢が立ったのが現代の石の名工左野勝司とクレーンメーカーのタダノでした。左野は藤ノ木古墳の石棺の蓋を無傷で開けた実績が買われました。タダノは左野と共同研究2年の末オクトパスという吸盤で凝灰岩を持ち上げる装置を考案し、見事に壁と天井合わせて八つの石を取り出しました。お陰で今も国営飛鳥歴史公園内高松塚壁画館でガラス越しですが、その感動と空気感を味わうことが出来ます。

世紀の発見　キトラ古墳壁画

奈良の明日香地方を散策すると至る所に古墳が見つかります。ちょっと小高い丘があったり、こんもりと林があったりすると古墳があったのではと思わせる情景によくぶつかります。その中に太陽の巫女として崇拝の対象にもなった卑弥呼の墓ではと議論される箸墓古墳などもあり、古墳の埋葬主を想起すると俄然ロマンが膨らみます。令和５年（２０２３年）には我々が車を停める法隆寺門前の駐車場の植え込みが古墳であったことが分かり、驚くほど身近に古墳があるのだなと実感しました。

高松塚古墳壁画は発見されたのが昭和47年（１９７２年）、翌昭和48年（１９７３年）には直径が上段18m下段23m、高さ５mの二段式円墳が国の特別史跡に指定され、翌昭和49年（１９７４年）には重文指定を飛ばして特進で国宝に指定されました。史上初の大発見だったことがこのことからも分かります。ところがキトラ古墳壁画（絵画１６２）は昭和58年（１９８３年）に発見されたのに、平成12

年（2000年）にようやく特別史跡となり、重文指定は平成30年（2018年）で国宝指定は令和元年（2019年）となりました。キトラ古墳壁画は壁画の下地の漆喰の厚みが高松塚古墳壁画より分厚く、発見当初から漆喰が浮き上がるなど傷みが激しく剥がれ落ちるおそれがあり、またカビなどによる劣化も進んでいたため保存に慎重にならざるを得ませんでした。高松塚古墳よりさらに厳しい状況は湿度の高い石棺の内側に漆喰が塗られており、その上に彩色壁画が描かれています。その漆喰自体が剥がれ落ちてしまうと保存のしようがないという危険が伴っていました。保存が安定するまで早計に国宝の指定をしない方が良いとの判断が固まりました。高松塚古墳壁画の保存管理に国民から文化庁に対して厳しい批判が殺到したため、その二の舞は避けたいと慎重になり、国宝指定の条件を一つ加えることにしました。それは「安定した状態で保存出来ること」でした。そのためキトラ古墳は国宝に指定されるのに発見から36年もかかりました。東側にあった「青龍」の保全が最後の課題でしたが、現状維持保存に最新の技術を駆使して安定した保存状態に漕ぎ着け、ようやく平成26年（2014年）東博での特別展示にまで漕ぎ着けられた懸命の努力は特筆ものです。キトラ展の古墳壁画の浮きだして剥がれそうな漆喰をそのままレプリカになっているのを拝見して「大変な大仕事だった」のだと確信しました。関係者の大変なご苦労と細心の修復作業に敬意を表します。

歴史的発見四神と獣頭人身像壁画が出た
キトラ古墳の前で

キトラ古墳は高松塚古墳とほぼ同時期に造られましたが、大宝律令が制定された大宝元年（７０１年）または遣唐使の派遣再開の大宝２年（７０２年）の前後と考えられ、漆喰の厚いキトラ古墳壁画が古く、薄い高松塚古墳壁画が新しいと考えられます。この漆喰の厚みの差でキトラ古墳壁画が高松塚古墳壁画より10数年古いと判断されています。キトラ古墳は上段が直径9・4m、テラス状の下段が直径13・8m、高さは上下段合わせて4mを少し超えています。珍しいのは名前ですね。キトラの名前の由来はどこから来たのか諸説があります。有力な説は昭和58年（1983年）最初に東南の盗掘穴からファイバースコープを差し込んで石棺の中を覗くと北側の壁に玄武の亀が見え、西側の壁に白虎が見えたために「亀虎古墳」と呼ばれたという説や、キトラ古墳が明日香村阿部山集落の北西方向にあるため四神のうち北を司る亀（玄武）と西を司る虎（白虎）から「亀虎」と呼ばれていたという説です。近くの地名にカタカナ名がないので、亀と虎の組み合わせで「キトラ」と呼ばれたのは間違いないでしょう。どちらも「キトラ」と命名された説にはロマンがあって良いと思います。

キトラ古墳壁画は石棺の四方の壁に四季と方角を司る四神、東壁に青龍、南壁に朱雀、西壁に白虎、北壁に玄武が描かれています。高松塚古墳では、盗掘により南壁の朱雀が失われていますが、キトラ古墳では地を蹴って羽を広げ、今にも飛び立とうとしている躍動的な朱雀が残っています。四神の図像が全て揃うのはキトラ古墳壁画のみです。言葉だけでは何の絵か不明の玄武像とは亀に蛇が絡まった像のことです。蛇の体には斑点模様が描かれ、亀の甲羅にはこの頃から既に長寿を願ういわゆる亀甲紋模様が描かれています。四神の下には、12の方角を守護する獣頭人身、十二支の獣が人間の衣服を着ている姿が描かれています。北壁中央の子から時計回りに、方位に合わせて各壁に3体ずつ配置されているはずですが、その姿を現在確認出来るものは、半分の子、丑、寅、午、戌、亥の6体です。天井には天界の見取り図、天文図が描かれ、昼を司る太陽が金箔で東壁に、西壁に夜を司る月が銀箔で描かれています。この天文図は、赤道や黄道を示す円を備えており、本格的で精緻な中国式星図として、現存する世界最古の例です。これらはキトラ古墳に隣接して造られたキトラ古墳壁画体験館四神の館で平成28年（２０１６年）から1壁面ごとに年4回公開され、1ヶ月の期間に予約制で見ることは出来ます。既に2回見に出かけましたが未だ他の2面は見ていません。4壁面と天井面を全部見るには奈良に他の国宝を見に出かける度にチェックして明日香村に通うことになります。高松塚古墳の出土品（金銅製透飾金具、円形飾金具、六花文座金具、銀荘唐様大刀金具類、海獣葡萄鏡、ガラス製粟玉・丸玉、琥珀製丸玉）とキトラ古墳からの出土品（金銀装帯執金具、金属製品、琥珀玉、ガラス製品）はそれぞれの国宝附かと思いましたが、壁画を絵画として区分けしたので別建てで考古資料の重文に指定されています。

Q10 国宝は毎年増えるのですか？ 減ることもあるのですか？

国宝は毎年新指定がなされ、数は毎年増え続けます。大体建造物が1～2件、美術品が3～5件指定されます。それでも国宝指定が昭和26年（1951年）に始まって72年の間には国宝が1件も指定されなかった年も8年ありました。

昭和35年（1960年）、昭和46年（1971年）、昭和55年（1980年）、昭和61年（1986年）、昭和62年（1987年）、昭和63年（1988年）、昭和64年（1989年）、平成23年（2011年）です。4年連続で国宝指定がなかったのは何か理由があったのでしょうね。

コロナ以前は毎年その年に新指定された国宝は動かせるものは全て東博に集結しました。それを見るのは東京在住の国宝ファンにはとてもお得でした。これは令和6年（2024年）から再開されました。それでも彫刻の仏像が大きすぎて運ぶものが大変なのは東博に来ません。それでも像内納入品などが代りに来ることもあります。また宗教上の理由で門外不出な仏様は東博に運べません。そうした新国宝は建造物と同じく現地に見に行くことになります。そうした類に平成30年（２０１８年）国宝に新指定された興福寺南円堂の四天王立像（彫刻１３７）がありました。年１回の南円堂開扉日10月17日に見に行かざるを得ませんでした。

中には平成24年（２０１２年）唐招提寺の旧鴟尾《しび》、井上靖の遺唐使が高僧を招聘にいくお話の題名『天平の甍《いらか》』が金堂の屋根瓦でその両端に置かれた沓《くつ》形の装飾が国宝に追加指定されました。傷みが激しく新しい鴟尾に取り換えられた時に下ろされ西側のものは形状などから奈良時代創建当時の製作と判明、東側は鎌倉時代の銘が発見されともに追加指定となりました。只、国宝の数としては金堂の一部（建造物20）とされ件数としては増えませんでした。

令和５年（２０２３年）も北海道遠軽町埋蔵文化財センターが所蔵する北海道白滝遺跡群出土品（考古資料49）が国宝に指定されました。日本最大規模の黒曜石の産出地である赤石山の山麓にある白滝遺跡群23ヶ所から出土した黒曜石などの石器類１９６５点が一括指定受けました。後期旧石器時代の約１万５０００年〜３万年前の日本最古の国宝になりました。それまでは縄文土偶が一番古い国宝でした。それ以前は造形美の発達する以前ですので美術品としての国宝はあり得ない、只削ったり割っただけでは国宝にならないと勝手に思い込んでいました。それがひっくり返され吃驚しました。

その他に天皇の御物から国に移された一級品がまた国宝に指定されました。皇居三の丸尚蔵館が所蔵する喪乱帖《そうらんじょう》原跡王羲之（書跡・典籍282）は中国の4世紀の書聖王羲之の書跡ですが、王羲之の真跡ではなく、原本は東晋時代の石板から、唐の時代に双鉤塡墨《そうこうてんぼく》の技法、つまり透ける紙を敷いて文字の輪郭を写しそこに墨を充填するようにして細密に原本を再現していく技法で作られ、自筆を思わせるほどの出来栄えです。搨摸《とうも》本とも言います。内容は、戦乱により先祖の墓が荒らされた深い悲しみを記したもので、1行目に「喪乱」の字が出てくることから「喪乱帖」と名付けられました。「帖」とは法帖、習字の手本のことです。

更級日記　附　波に月蒔絵冊子箱（書跡・典籍283）は平安時代中期頃に菅原道真の遠い孫にあたる菅原孝標の次女が書いた回想録ですが、それを鎌倉時代に藤原定家が書写した写本です。京都御所の東山御文庫に伝わり皇室に伝来しました。

万葉集 巻第二第四残巻（金沢本）附　浦景蒔絵冊子箱、桐冊子箱、宝永丁亥仲春望日前田綱紀箱書（書跡・典籍284）は平安時代に藤原定信が写本した万葉集を加賀藩第3代藩主前田利常が収集し、前田家に伝来したことから金沢本万葉集と呼ばれています。彩牋《さいせん》と言われる和製唐紙に藤原定信の筆は速筆で流動感による美しさを追求した筆跡で、美麗な料紙とよく調和しています。明治43年（1910年）明治天皇が東京本郷の前田邸に行幸された際、16代当主の利為《としなり》が第二巻と第四巻の一部を一冊にまとめて装丁したものを献上したのが皇室の御物として伝来しました。前田家に残った国宝　万葉集　巻第三　第六残巻（金沢万葉）（書跡・典籍208）に追いつきました。

国宝は人的理由で減ることはありません。但し、火事による焼失、台風洪水や地震津波などの災害による破損、浸潤などによって文化的価値が維持出来ない場合には国宝解除はあります。過去に国宝解除になった例は、旧国宝では名古屋城、増上寺など空襲に遭い焼失した例があります。有名なのは昭和24年（1949年）1月電気座布団から出火したとされる火災で焼損した法隆寺金堂壁画です。火災を被った状態で懸命な保存努力がされ金堂外陣旧壁画12面と内陣旧壁画20面が昭和33年

（１９５８年）重文として指定登録されました。最近国宝解除の危機に面したのは平成10年（１９９８年）台風７号により倒木を真ともに受けた室生寺の五重塔（建造物31）ですが、現在の宮大工名工たちのお陰で完全に復元され国宝解除はありませんでした。

Q11 国宝は撮影禁止が多い中で許可されているのはどこですか？

この本に国宝の写真も出来るだけカラーで沢山載せたいと思い、撮影出来るところでは全て撮ってきましたが、日本では国宝や重文には撮影禁止やスケッチ禁止のところが圧倒的に多いのです。屋外から撮るような建造物は大丈夫なところが殆どですが、稀には鎌倉の円覚寺舎利殿（建造物２）は建物に肖像権があって、年に一度３日間の風入れの際の公開時でも「撮影禁止」と張り紙され「これ以上立入禁止」と縄が張られ僧侶の厳重な見張りが付いています。たまたま大学時代の友人Ｕ氏に円覚寺住職と生まれ故郷が同じで知己があるということでお願いをして住職立

金沢の石川県立博物館の野々村仁清作国宝雉香炉の前で

会いの下特別に写真を撮らせて頂きました。文化庁と相談して苦渋の決断をしたのだとその時お聞きしました、以前は写真撮影ＯＫでしたが、パチンコ店が舎利殿の写真を店の外壁に大きく引き伸ばして貼り、ご利益の出るパチンコ店としてＰＲに使われた事件があったからだそうです。

写真撮影の点では東博が一番オープンで、東博所蔵の国宝はフラッシュを使わなければ撮影を許可しています。それは東博の思想が、日本の文化や美術をもっと国民に身近な存在にしていこうというコンセプトだからです。写真を撮ってよく見て頂いて、友人にも伝えブログにもインスタグラムにも掲載してより多くの人に楽しんでもらいたいという姿勢です。これが正しく国民の宝を見せる姿勢だと思います。この考え方は国宝探訪者には大歓迎の、日本の美術館・博物館のあるべき姿だと思います。他の国立博物館や美術館も見習ってほしいと思っています。美術品の撮影で既に見習って頂いているのは彦根城博物館の国宝　彦根屏風（絵画１１１）は自由に写真が撮れます。只、劣化を防ぐために照明は暗くしてありますので、高性能のカメラが必要です。また石川県立博物館の野々村仁清作　国宝　色絵雉香炉（工芸品21）はガラスケース越しですが四方八方から撮影が出来ます。ちなみに雄雉の隣に対で並ぶ雌雉は重文です。その理由は雄雌が金沢の別々の家に伝わったからだと思われます。雄は昭和26年（１９５１年）国宝指定されてから昭和33年（１９５８年）に山川家から石川県に寄贈されました。片や雌は前田家の家老横山家で発見されるのが遅く昭和40年（１９６５年）になって重文に指定されて半世紀後、平成3年（１９９１年）に寄贈され美術館で３００年振りに対になったからです。

ちなみに国宝の五つの土偶は全て撮影出来ます。まだまだ日本では撮影にはオープンでなく、海外では子供たちが絵の前に座って模写したり、家族で名画の前で記念撮影をしていたのを羨ましく思い出します。東博以外の国立博物館も色々と過去の事件や出来事があって踏み切れないでしょうが、勇気を持って国民が自由に写真撮影やスケッチが出来るようにして頂きたいと願っています。

逆に「撮影禁止」と掲示されている場所で仏像や工芸品などの写真を隠れて強引に撮るのは止めましょう。當麻寺の金堂で周りを確かめましたが撮影禁止の張り紙が見当たらないので、国宝の弥勒仏坐像（彫刻44）にカメラを向けたら途端に、突然スピーカーで「写真を撮るのはお止めください。御本尊様は撮影禁止です」と言われて吃驚しました。すぐに僧侶が飛んできて「撮影禁止が見えなかったのですか」「見えませんでした」と謝ると、全ての堂内は撮影禁止との張り紙があったはずです。「カメラを拝見します」と取られて画像を点検して「分かりました。堂内ではカメラを向けないでください。仏様は大切な信仰の対象ですので」と言われてしまいました。苦い経験です。その後は撮影禁止の張り紙が見当たらない場合には、必ず入口で「ここは撮影出来ますか」とお聞きすることにしています。国宝鑑賞者のエチケットとして信仰の場所での撮影は止めて頂きますようお願いします。

読者の中にはそれぞれのお好きな美術品や建造物があると思います。それに焦点を当ててご覧になるのも宜しいかと思います。それぞれの分野では私より一日の長がおありになる方も多いと思います。例えば、国宝のお城は5基ですが、「お城なら任せておいて、もう名城を１００は見たよ」とか、「絵巻物ならあちこちで沢山見ているよ」とか、そうした読者から「こんな楽しい見方もあるよ」とか、「こういう視点は面白いよ」とか、ご意見をお寄せ頂き大変助かり感謝しています。

Q12 なかなか見られない国宝があると聞きますが、どうしてですか？国民の宝なのですから、見せるのが筋じゃありませんか？

文化財保護法ではその第一条で文化財を保存し、且つ、その活用を図る、第四条で文化財が貴重な国民的財産であることを自覚し、できるだけこれを公開することに努めなければならない、と明記されています。文化財保護法第48条では、活用のために文化庁長官が博物館に預けて公開するように呼びかける「勧告出品」の規定もあります。文化財保護法第27条2項には国宝は国民の宝、貴重な国民的財産なのだから出来るだけ多くの国民に見てもらう、出来るだけ公開するように定められています。しかし人の眼に触れる公開をすると、どうしても劣化するので制限が設けられています。「国宝及び重文の公開に関する取扱要項」に、公開のための移動回数は年間2回以内、公開日数は延べ60日以内との指針があり、更に公開しなくても良いケースも認められています。移動回数が年2回に制限されているということは、国内の美術館博物館の展覧会場への巡回2ヶ所しかないということになります。文化財の公開は文化財に親しむ機会を確保するために実施されていますが、展示すると作品が褪色したり剥離したり劣化や棄損が進行する恐れがあるもの、また宗教上の理由で見せられないものは公開の制限が許されています。21年に一度、12年に一度、一番多い1年に1日や3日などは拝観出来る機会が限定されても、その時に出かければ見ることが出来ます。

特に破損や劣化などが進行しているものは公開をすべきではありませんし、材質や形状、特に保存状態などの諸条件を勘案して、公開と保存の調和を図って行われているため、場合によっては非公開となっているものもあります。

文化財が数百年から千年以上前に作成されていると、長年の多少の変色とかくすみは景色とか味わいとかの魅力的な評価になるかもしれませんが、それ以上進んで、材質が劣化したり、光に長く当てると紫外線で褪色したり、熱線で彩色が剥離したりすれば途端にマイナス評価に転じます。さらに既にひびが入ったり脆くなった美術工芸品も沢山あります。

初めて尾形光琳の「紅白梅図屛風」（絵画128）をMOA美術館で見た時は、屛風の端がこんなにもボロボロに傷んでいるのだと吃驚したものです。今は修復されています。毎年梅の季節になると展示されますので、熱海までお出かけくださ い。また「修理が必要な状態なので、修復を終えるまでお待ちください」と丁寧にお返事を頂いた例もあります。前田育徳会所蔵の加賀百万石の美術品を保管展示の役割を受け持つ石川県立美術館に「国宝の秘府略　巻第八百六十八（書跡・典籍67）がなかなか展示されませんが、次はいつの公開になるのでしょうか」とメールしたら「現在秘府略は修復しないと展示出来ない状態ですので修復する計画にしてありますので、しばらくお待ちください」と丁寧なお返事を頂きました。公開されることを楽しみにしています。

従って保全のために期間限定で公開している国宝も数多くあります。繰り返しになりますが、平成8年（1996年）「国宝・重要文化財の公開に関する取扱要項」

が制定され「原則として公開回数は年間２回以内とし，公開日数は延べ60日以内とする。なお，重要文化財等の材質上，長期間の公開によって褪色や材質の劣化を生じるおそれの少ないものについては，この限りでない」とされています。また「褪色や材質の劣化の危険性が高いものは、年間公開日数の限度を延べ30日以内とし、他の期間は収蔵庫に保管して、温・湿度に急激な変化を与えないようにする必要がある」と決められています。

このために特別展では公開を前期後期と分けて展示の国宝の巻を入れ替えたり、頁替えをしたり、同名または同類の国宝に替えたりして、一つの国宝は10〜20日以内に制限しているのが通例です。お陰で他の国宝を見るためには同じ特別展に２回も足を運ぶこともざらにあります。

また保存の難易度のみならず宗教上の理由からなかなか見られない幻の国宝があります。

１年１回でも数年に１回でも拝観出来るならば出かければ良いのですが、一切非公開という国宝も複数以上あります。桜で有名な吉野の上千本辺りにある吉野水分《みくまり》神社に鎮座されている玉依姫命坐像（彫刻１０２）がどうしても見せてもらえない国宝です。吉野に行ってはなんとか拝観させてもらえないかとあれこれ粘って交渉しましたが、神社側は「宗教上の理由で拝観出来ません。それは文化庁にも認めて頂いております」との回答の一点張りで、見ることすら簡単ではありません。「自ら神官となってお仕えでもしたら、神殿の板の間の拭き掃除の際に見られるかもしれませんよ」と吉野の友人には慰められています。「このような現実を雑誌に書いても神職に叱られるかもしれませんよ」と忠告されましたが、それほどまでに宗教上の理由は文化庁に認められていますという意味で書かせて頂きました。当分の間は「幻のお姫様」のままになりそうです。

そこまで厳密でなくとも鎌倉の鶴岡八幡宮のご神宝、徳川八代将軍吉宗が元文元年（１７３６年）に当宮修理造営に際し奉納した太刀　銘正恒（工芸品47）も非公開の国宝でした。鶴岡八幡宮の境内にある鎌倉国宝館に出かけた際に社務所に立ち寄り直接お願いしてみました。「御神宝なのでなかなか展示出来ませんが、源頼朝公が武家の魂の拠り所として創建した鶴岡八幡宮のゆかりの年に展示することが出来ますので、しばしお待ちください」と言われました。すると平成30年（２０１８年）に鎌倉国宝館開館90周年記念として、特別に国宝　太刀銘正恒とご対面することが出来ました。

ちなみに正恒の太刀は６振り国宝に指定されており、正宗の９振りに次ぐ多さです。これなどは同じ名前の国宝ですので、どこの国宝なのか十分注意して数え間違いにならぬようにしてください。

現在一番の難関は美術品の国宝10件をまとまって所蔵されている石山寺です。その中の８件が23年間非公開のままです。越中国官倉納穀交替記残巻（古文書19）、玉篇巻第廿七 後半（書跡・典籍76）、延暦交替式（書跡・典籍１５５）、春秋経伝《けいでん》集解《しっかい》巻第廿六残巻（書跡・典籍１７８）、春秋経伝集解 巻第廿九残巻（書跡・典籍１７９）、漢書 高帝紀下、列伝第四残巻２巻（書跡・典籍１９１）、釈摩訶衍論《しゃくまかえんろん》５帖（書跡・典籍２４０）、史記 巻第九十六、九十七残巻 １巻（書跡・典籍２４６）の８件です。公開された淳祐内供筆聖教《しゅんにゅうないくひつしょうぎょう》 薫聖教《においのしょうぎょう》73巻１帖 附 聖教目録１巻（書跡・典籍２４４）は平成19年（２００７年）宇都宮の栃木県博物館に出たというので「慈覚大師円仁とその名宝」展に飛んでいってみました。同様に周防国玖珂郡玖珂郷延喜八年戸籍残巻（古文書20）も平成26年（２０１４年）大津歴史博物館に「湖都大津のこもんじょ学」展に出たというので見に出かけました。ということでアンテナを高く張っているつもりですが、なかなかお目にかかれません。石山寺の建築は石山寺多宝塔（建造物４）、石山寺本堂（建造物80）は行けば見ることは可能です。周りの延暦寺とか園城寺《おんじょうじ》（三井寺）は非常に公開に好意的で、何かの節目には公開されるのですが、石山寺だけは色々お尋ねしても全く反応がありません。また周囲の大津歴史美術館にお頼みしても難しいとの一点張りです。

国宝の公開は1年に一度から21年に一度まで幅広い

Q13 限定期間だけしか公開されない国宝は沢山ありますか？

見学が何年かに一度公開される例として、例えば12年に一度の国宝、これは干支にちなんだ間隔です。京都六波羅蜜寺本堂の御本尊十一面観音像（彫刻１２３）は12年に１度辰年に開帳されます。何故辰年かというと、空也上人の時代に六波羅蜜寺には大きな池がありました。そこには龍が棲み、参詣者を脅かすなどの悪さをしていたといいます。そこで、上人が錫杖をふるって諭されると、龍は改心して、お寺と参詣者を護る誓いを立てたことから、護り龍として本堂の柱や梁に龍の姿が描かれ、本尊の開帳も辰年に行われているという訳です。でも何かの記念の年に、最近では六波羅蜜寺の開山１０５０年に当たる平成25年（２０１３年）には巳年にも拘らず御開帳されています。十一面観音像のレプリカは境内におわしますのでイメージは湧きます。尚、六波羅蜜寺にはその国宝よりも知名度が高い重文がありま す。口から6体の阿弥陀仏の小像を吐き出されている空也上人像や、運慶坐像や平清盛坐像がありますので、これがかの有名な運慶なのか、これが清盛入道の姿なのかと、次の辰年を待たずに一度訪れてください。

私は空也となると銀座の「空也もなか」を思い出してしまいます。鉦やひょうたんを叩きながら行う空也念仏の鉢叩きに由来するひょうたん形のもなかです。９代目市川団十郎が火鉢で皮を少し焦がしたら美味しくなったとのヒントに作った、少し香ばしい皮の最中です。夏目漱石も小説に登場させるほど大好きだったようです。以前は予約制でしたが今は午前中に行けば買い求められると思いますので、銀座6丁目に立ち寄ってみてください。

さらに一番長い21年に一度の国宝があります。和歌山慈尊院廟所の弥勒仏坐像（彫刻１０９）です。平成27年（２０１５年）に丁度21年目がやって来たというので、早速出かけました。開扉はされていましたが、少し離れた弥勒堂の奥におわしますので遠くて良く見えませんでしたが双眼鏡を持参したのは大成功でした。女人禁制であった高野山の手前、九度山まで是非見に行きましょう。ここは乳房を模した絵馬が沢山奉納されています。子宝、安産、授乳、乳癌平癒の祈願のための絵馬で、ご自身で作られるのが慣例だそうです。ここは弘法大師空海の御母公玉依御前が住んでおられたところです。空海は母に会いに月に九度高野山を下りてきたというのが九度山の名前の由来です。「本当ですか」と首をかしげますが、空海伝説は日本国中至るところにありますので、これもその一つと納得しています。

昭和36年（１９６１年）に初めて正式な調査が入りましたが、その結果無事昭和37年（１９６２年）に重文に昭和38年（１９６３年）に国宝指定受けました。それ以降も空海の命日が21日だったことから21年に一度の開扉が守られています。秘仏の良いことは当時の極彩色が褪色せずにより多く残していることです。この弥勒仏坐像の座っておられる台座の蓮弁が鮮やかな色を残しています。次回令和18年

（２０３６年）まで長生きされたら是非ともお出かけください。

さらに長いのは33年ですが、これは観音菩薩の33変化、観音様が33回も姿を変えて衆生《しゅじょう》を救いに来られるのが由来です。33年に一度開扉の重文は今もありますが、国宝にはありません。元来は33年に一度の開扉であった観音菩薩像が国宝に指定されて以来、年に一度は開帳することになった観音様も複数あります。例えば大阪観心寺の如意輪観音坐像（彫刻５）、高野山の真北に位置し空海が境内に北斗七星を勧請《かんじょう》されたので星塚が残っています。その観心寺に長らく秘仏であったために、保存状態が良く、表面の彩色や文様もよく残っており、匂い立つようなふくよかな肌色の御姿を残しておられます。珍しく右脚を立て膝されており、６本の手をお持ちです。右の第一手は頬に当てて思惟相を作り、第二手は胸の前に如意宝珠を持ち、第三手は立て膝の外側に垂らして数珠を持っておいでです。左の第一手は真っ直ぐ外側下方に伸ばし、第二手は手のひらをこちらに向けて胸の辺りに蓮の茎を持ち、第三手は後ろに伸ばして、中指の先で法輪を立てておられます。いつも思いますが、人間ならこんなに手があったら気持ち悪くなりますが、観音様なら素直に見られるのは仏様の力なんだろうなといつも感心しています。尚、如意輪観音様がおられる金堂（建造物54）も国宝です。毎年4月17日18日の2日間の御開帳の日にお出かけください。

毎年1年に1日だけ開帳される国宝が東大寺にあります。それが12月16日に3ヶ所で開帳されますので、行かない手はありません。12月16日は東大寺の開山、初代別当である良弁《ろうべん》の命日です。法華堂（三月堂）の執金剛神《しゅこんごうしん》立像（彫刻6）、開山堂の良弁僧正坐像（彫刻7）、俊乗堂の俊乗上人坐像（彫刻8）です。尚、俊乗上人坐像はもう1回俊乗上人の命日7月5日にも開扉されます。興福寺南円堂本尊の康慶作不空羂索観音坐像（彫刻56）と四天王立像（彫刻137）は10月17日に南円堂が開扉される時に拝観出来ます。何故10月17日かは生成ＡＩも答えられません。

複数日に見られるのは、唐招提寺開山堂の鑑真和上坐像（彫刻19）は6月5日から3日間開扉されます。鑑真和上の命日が6月6日ですのでその前後3日間です。法隆寺の聖霊院本尊　聖徳太子坐像、山背王《やましろおう》・殖栗王《えぐりおう》・卒末呂王《そまろおう》・恵慈法師坐像（彫刻61）は3月22日～24日開扉されますが、間近での拝観は出来ません。聖徳太子の命日は旧暦の2月22日でその1ヶ月後3月22日に法要お会式が営まれるのに合わせています。見に出かけましたが、内陣におられる聖徳太子坐像を外陣から拝見するのですが、内陣にはこの日のために５尊像の前に背丈ぐらいの高さにお供物が飾られており、お供物の間から覗き見するような感じです。同じく法隆寺上御堂の本尊釈迦三尊坐像（彫刻74）は11月１日から３日間開扉されます。

法華寺の十一面観音菩薩像（彫刻14）春は３月下旬～４月上旬、光明皇后の法要日６月７日前後、秋は奈良博の正倉院展と同時期の１年に３回開帳されます。１ｍほどの小ぶりな十一面観音ですが、印象的なのは、長くて地面に届きそうな右腕で衣の端をそっとつまんだ姿と、蓮の蕾がついた茎や蓮の葉が放射状にずらりと並んだ光背です。他にはない独特の造形です。

特別な法要日など以外では年に１、２回春と秋に国宝の虫干しやお風通しがなされる際に、公開されることも多いので、その時にお出かけください。

Q 14
旧国宝と書かれた案内を見たことがありますが、国宝に新旧ってあるのですか？　重要美術品という案内も見ますが、重要文化財とは違いますか？

国宝は保護される対象として国が法律で定めたのは明治30年（1897年）の「古社寺保存法」から始まります。フランスの1841年、イギリスの1882年に次ぐ世界で三番目に古い文化財保護の行政です。明治初期に一度は廃仏毀釈や困窮化した寺社や元武家の美術品売却が続出しましたが、それを止めさせて文化財保護の礎を作った明治政府の素晴らしい見識だったと思います。

それに代って寺社美術品のみならず幅広く充実した保護を目指す「国宝保存法」が昭和4年（1929年）に制定され、その時新たに建物も国宝に加わりました。

戦後になって法隆寺金堂の壁画が焼損した事件が昭和24年（1949年）起こったことがきっかけで昭和25年（1950年）に総合的な「文化財保護法」が制定され現在に至っています。そこから無形文化財やその保有者である人間国宝も保護する対象になりました。

その際に戦前昭和４年（１９２９年）の国宝保存法で国宝と指定されたもの３７０４件、内訳は建造物８４５件（１０８１棟）、絵画７５４件、彫刻１８５６件、書跡・典籍４６９件、工芸品３４７件、別に刀剣２６８件がありました。現在の3倍を越える旧国宝が存在していました。この３７０４件も全て一旦重要文化財と変更され再度見直しすることになりました。新たな芸術的な価値と学術的な意義を再評価して、現在の国宝が制定されることになり、翌昭和26年（１９５１年）から指定が始まりました。当然国宝から重要文化財に格下げされたと怒りやお叱りの声が各地から出ましたが、順々に国宝に再指定されていく中で声は小さくなりました。只、今も国宝に戻らぬ寺社では「旧国宝」と銘打っていると思います。

九州大宰府にある観世音寺は梵鐘（工芸品１３６）は昭和28年（１９５３年）国宝に戻りました。ＮＨＫの『ゆく年くる年』でその音色とともにテレビで見られたことも多いと思います。それ以外は重要文化財に変更のままになっています。宝蔵にはほぼ15躯の旧国宝が並んでおり、館に入りますと「旧国宝」と書かれた大きな名札が沢山並んでおり、その数の多さと３ｍ～５ｍの仏像が5体も並んでいて、それぞれの仏像が「国宝だぞ」と頭上からまるで天の声のように語っている異様な雰囲気に圧倒されます。

数々のテレビ番組でも旧国宝をそのお寺の住職や案内人が国宝と紹介している番組は多いので、その想いは分かりますが要注意です。有名な京都の寺院では誇らしげに国宝86件と称していましたが、実際は14件だと思います。件数と点数の違いを分からず数を多く見せているか、旧国宝も国宝と数えている間違いがあるように思います。

重要美術品という案内も時々見ますが、これは昭和25年（１９５０年）文化財保護法施行以前に日本国外に古美術品が海外に流失するのを防止するために文部大臣が認定した有形文化財のことです。昭和7年（１９３２年）今はボストン美術館に所蔵されている『吉備大臣入唐絵巻』が海外流失したことに驚き、制定された認定制度です。当時も国宝保存法で国宝の海外輸出は禁止されていましたが、国宝に指定されている以外の美術品の海外流失を食い止めることを主目的に作られました。昭和8年（１９３３年）に「重要美術品等ノ保有ニ関スル法律」が策定され、文部大臣が認定した美術品を官報で告知し、海外流失を食い止めました。これらが今も重文にもならずにいるものを重美と称しています。全部で８２００件認定し、文化財保護法施行以降は、重文への格上げか、取消かを推進することになっていますが、あまり進んではいないようです。

Q15 国宝を個人で持てるのですか？

勿論個人でお持ちの国宝は沢山あります。数えてみると個人蔵の国宝は37件あります。刀剣21件、刀剣以外の工芸品１件、絵画４件、書跡・典籍８件、古文書２件、考古資料１件が内訳です。ご先祖様からの伝来とか、保存が比較的容易な刀剣の類が圧倒的に多いのは当然です。刀剣も太刀12件、短刀７件、刀１件、薙刀１件です。

個人で刀剣収集家であった、食品トレイ容器メーカーのエフピコ創業者の小松安広氏が平成29年（２０１７年）に亡くなって小松コレクションと称する刀剣類14振りを地元福山市に寄贈しました。ふくやま美術館の所蔵となりましたので、個人蔵の国宝の刀剣７件が一挙に減りました。その７件は新藤五国光の作で会津藩主蒲生氏郷の愛刀であった短刀　銘国光　名物会津新籐五（工芸品６）、北条氏家臣岡部江雪斎の愛刀であったことから号が付けられ、後に徳川家康に渡り和歌山藩初代藩主紀州頼宣に伝わった太刀　銘築州住左　号江雪左文字（工芸品19）、蜂須賀家に伝来した太刀　銘正恒（工芸品42）、銘を「左」と切ることから左文字と呼ばれる名工の作で豊臣秀吉の愛刀であったことから名付けられた短刀　銘左築州住名物太閤左文字（工芸品76）、太刀　銘則房（工芸品95）、太刀　銘国宗（工芸品１１８）、太刀　銘吉房（工芸品１６４）、の短刀２振り、太刀５振りです。

また個人蔵から売却されて法人蔵になったものもあります。織田信長の弟織田有楽斎長益が信長の死後豊臣秀頼から拝領したことで名が付いた短刀　銘来国光　名物有楽斎来国光（工芸品１６６）はその後加賀藩２代藩主前田利常が求め加賀藩に伝来したものが個人に渡り、そこから三重県の東建コーポレーションに譲渡され、東建が建設した名古屋刀剣ワールド美術館に展示されました。この博物館の目玉の一つに国宝を買い求めたものと思われます。

個人蔵の21件のうち今までに展示されたのは13件。前述の短刀　銘来国光　名物有楽来国光（工芸品１６６）、大阪府在の個人蔵の国宝　信長の愛刀が家康に贈られ11男初代水戸藩主徳川頼房に与えられた刀金象嵌銘光忠　光徳花押（工芸品24）、岡山県在の個人蔵で上杉謙信の愛刀太刀無銘一文字　号山鳥毛《さんちゅうもう》（工芸品44）、静岡県在の個人蔵の熊野大社に元寇調伏のために奉納され護摩焚きに使用されたと伝わる太刀銘熊野三所権現長光（工芸品67）、東京都在の個人蔵は太刀銘来国俊（工芸品71）、静岡県在の個人が所持されている、信長から長篠の戦いの功に奥平信昌に与えられた太刀銘一（工芸品80）、これは現在三島市の佐野美術館に寄託されています。東京都在の個人蔵の太刀銘吉房（工芸品98）、大阪府在の個人蔵で寛永3年（1626年）に後の老中になる阿部豊後守が大洪水の隅田川を馬で乗り切った功によって、三代将軍徳川家光から下賜された太刀銘備前国吉岡住左近将監紀助光（工芸品105）、加賀前田家より個人に渡った薙刀銘一備州吉岡住左近将監紀助光（工芸品114）、太刀銘正恒（工芸品130）、大和国の保昌一門の名工貞吉が作り秀吉の家臣桑山元晴が所持していたことから名物桑山保昌と呼ばれた短刀銘高市郡住金吾藤貞吉（工芸品169）、短刀銘来国次（工芸品163）、太刀銘助包《すけかね》（工芸品212）があります。一方で公開されない刀剣が9件もあります。全件制覇の難関になっています。

また刀剣でない工芸品として大分県在の個人蔵ですが宇佐神宮の神宮寺の弥勒寺に伝来し、宇佐神宮が保管し展示している国宝　孔雀文磬（工芸品１１３）があります。

絵画の保存は難しいと思いますが、4件あります。いずれも美術館博物館に寄託されていますので、展示の機会はあります。東京都在の個人蔵の中国北宋の第8代皇帝徽宗《きそう》筆の国宝　桃鳩図（絵画6）、岡山県在の個人蔵の中国晋時代の笛の名手桓野王を描いた元時代の銭選が描いた宮女図　伝桓野王図（絵画66）、同じく岡山県在の個人蔵の雪舟筆の山水図（絵画96）、京都府在の個人蔵の大胆に墨だけで暗い夜空から落ちて来る雪片と白く浮かぶ連山や家並が描かれ、静かな町々の家にうすぼんやりした赤い色をぽつぽつとちりばめて、家々の団欒の暖かさも感じさせる与謝野蕪村筆の夜色楼台図（絵画１５８）があります。

書跡・典籍や古文書の保存も難しいのですが、個人蔵の書跡・典籍で8件あります。東京都在の個人蔵の古今和歌集巻第五　高野切本（書跡・典籍19）は関東大震災の復興資金を捻出するために競売にかけた原三渓の旧蔵品と分かってっています。香川県在の個人蔵の備前国風土記（書跡・典籍２１４）、奈良県在の個人蔵の法華経久能寺経全四巻（書跡・典籍278）、京都府在住の朝日新聞創業者の一人上野理一が蒐集した上野コレクションの一つ、唐時代の早世した詩人王勃の詩文集である王勃集巻第二十八（書跡・典籍47）、運慶が発願して制作された全8巻の最後の巻で快慶始め慶派の仏師48名の結縁が分かる法華経巻第八　寿永二年八月五日運慶願経（書跡・典籍149）、中国南北朝の梁の武帝が命じて作らせた書の手本で全て異なる1000の文字で漢詩を作らせ、真は楷書草は草書で千字文を書いたものを隋の時代の智永が書写した真草千字文（書跡・典籍180）、源氏物語の注釈書を奥入と呼び、藤原定家自筆の写本である源氏物語奥入（書跡・典籍235）があります。8件のうち1件が非公開扱いになっている兵庫県在住の個人蔵の中国後漢から東晋時代までの名士の逸話を編纂したもので、巻末に杲宝《こうほう》という学僧の名が墨で書かれており教王護国寺（東寺）の観智院に伝来したことが判る世説新書巻第六残巻（書跡・典籍106）があります。紙が貴重だった時代に裏にお経を写したために後世に残ったためっけものの国宝です。

古文書2件は京都府在住の個人蔵の京都府宮津市に鎮座する龍神社の社家海部氏の国宝　海部氏系図（古文書1）、岐阜県の個人安藤積産合資会社所蔵の最澄に師事し最後の遣唐使になった円仁の博多津出航から帰国までの旅行記である国宝　入《にっ》唐求法巡礼行記《とうぐほう》　全四帖（古文書17）、考古資料1件では大阪府在の個人蔵の国宝石川年足墓誌（考古資料3）は天皇3代に仕えた蘇我氏の子孫の墓誌で大阪歴史博物館に寄託されています。

Q16　国宝は売買や譲渡が出来るのですか？

文化財保護法第46条には、「重要文化財を有償で譲り渡そうとする者は、譲渡の相手方、予定対価の額（予定対価が金銭以外のものであるときは、時価を基準としてそれを金銭に見積った額）、その他文部科学省令で定める事項を記載した書面をもって、まず文化庁長官に国に対する売渡しの申出をしなければならない」とあります。文化庁長官は30日以内に回答することになっています。新しい所有者が国宝を所蔵するに相応しいかどうかを判断して、必要な時には国で買い上げるかどうかを決めることになっています。第32条に「所有者が変更したときは、新所有者は、文部科学省令の定める事項を記載した書面をもつて、且つ、旧所有者に対し交付された指定書を添えて、20日以内に文化庁長官に届け出なければならない」とあります。

これからすると国宝を売却してはならぬ、売却には文化庁の許可が必要とかの、規則や許可制度はありません。譲渡の届出制度と国に優先取得権、先買権があるようです。唯一、同44条で輸出だけは禁止しています。日本からの流失は避けるべきでしょう。只、競売による所有権移転については、想定外のこととして、規制の対象になっていません。しかし、平成21年（２００９年）５月に滋賀県大津市の円満院の重文指定の建物が競売にかけられる事態が起こっています。この件について、文化庁は「重文が競売で所有権が移転するのは好ましくない」とのコメントを出しています。

勿論国宝に許可なく手を加えたりすることは禁止されていますし、同第34条に「国宝の所在の場所を変更しようとするときは、文部科学省令の定める事項を記載した書面をもつて、且つ、指定書を添えて、所在の場所を変更しようとする日の二十日前までに文化庁長官に届け出なければならない」とあり、所有者が届け出なしに変わること、所在地を届け出なしに変えることはご法度です。

文化庁はこうしてしっかり管理をしていたつもりでも、令和5年（2023年）4月時点の文化庁の調査結果の公表により、国宝を含む重文に指定されていた美術工芸品1万524件のうち行方不明は139件あります。行方不明の理由別件数として、盗難が28件、所有者の転居41件、所有者の死去36件、法人解散2件、売却9件、経緯不明23件でした。所有者別件数として、個人所有98件、そのうち盗難は3件、社寺所有36件、そのうち盗難23件、財団や企業や自治体所有が5件、そのうち1件が盗難でした。泥棒も警備手薄な社寺には目を付けているということです。さらに文化財種別件数では、工芸品75件、そのうち刀剣72件、書籍・典籍22件、彫刻15件、絵画15件、古文書10件、考古資料2件です。半数が個人所有の刀剣類ということで、祖父や親から引き継いでいないうちに先に亡くなってしまったとか、独立して実家から出ていたり転居していて行方が分からない。ということだったようです。国宝は現在では全部発見されましたが、調査途中の平成27年（2015年）では3件見つからず問題となりました。騒いだお陰もあって無事3件は発見されました。いずれも東京都の個人蔵で短刀　銘国光（工芸品102）、太刀　銘吉平（工芸品235）、刀　金象嵌銘天正十三十二月日江本阿弥磨之所持稲葉勘右衛門

尉　名物稲葉江（工芸品16）が行方不明でした。まず短刀　銘国光ですが同じ新藤五国光の作で同名の短刀が３口国宝になっています。行方不明になった短刀は十五代将軍徳川慶喜《よしのぶ》の指料で、最後までよく尽くしてくれたと側近の女性に贈ったものだと分かっています。太刀　銘吉平ですが、備前国福岡一文字派の名工吉平の作で銘の上に菊紋の毛彫りがなされ、紀州徳川家に伝来しました。明治以降に購入した個人所有者の転居の際に行方不明になりました。刀　名物稲葉江は南北朝時代の名工郷義弘の作で、西美濃三人衆の家系の稲葉重道が所持していたのを家康に所望され５００貫（今の価格で６０００万円程度）で献上したようで、その後津山藩松平宣富に下賜され、明治以降中島飛行機経由東京都の個人に売却、一時行方不明でしたが、その後発見され平成31年（２０１９年）岩国市の岩国美術館に推定３億円で売却されました。早速岩国錦帯橋近くの岩国美術館まで見に行きましたが、美術館のスタッフの方に国宝が持つことが出来た高揚感が溢れていました。その後令和２年（２０２０年）柏原美術館に改称されています。稲葉江と呼ばれるのは稲葉重道が所持していたことから、江は郷を読み替えて同音の江にした説が有力です。

Q17 自分の美術品が国宝になると国から何か頂けるのですか？

どうやら何も出ないようです。但し、維持保存するために経費、修繕費修理修復費や収蔵庫設置費改造費などは、文化庁が認定すれば維持保存のための費用として、美術工芸品では国が50〜60％、地方自治体から30〜40％援助され、残りの10％が保有者の自己負担になっているようです。建造物の修理では、その修理費も嵩みますので、国が50〜85％を補助することになっているようです。文化庁の国庫補助の金額は予算案ですと大体年間7億円から8億円が計上されていますので、多分順番待ちでしょうね。維持費などの捻出のためにも国宝や重文を公開・展示することで料金を徴収することは認められています。令和3年（2021年）文化庁は最近国宝や重文の木造建造物を修理する周期を150年に一度は根本修理をすることにしたいと指針を決めました。

人間国宝には一時金とか、年金がもらえるのではとの話があります。病気や怪我などの治療費は払えないので、勲章を受けたのと同様に年金の形で毎年２００万円が頂けるらしいのですが、公表はされていないので正確には分かりません。

また展覧会に出展する際の移動費、梱包輸送費などには補助金が出ます。

１都道府県が所有する国宝の件数は２９２件から０件まで差が大きい

Q18　国宝のない県はありますか？　それはどこの県ですか？

国宝のない県は令和5年（２０２３年）10月現在徳島県と宮崎県の2県です。但し、五島美術館が所蔵する日向国西都原古墳出土金銅馬具類（考古資料20）は宮崎県西都市で出土したものですので、一括指定になっています。その10種44点数の中から、複数点ある金銅杏葉や金銅辻金物の一部を宮崎県に寄贈すれば、または宮崎県の博物館か美術館が買い取れば、宮崎県に国宝があることになります。果たして五島美術館が手放すかどうかは分かりません。そういった事例はあります。佐賀県の例として、鍋島藩伝来の、民間で歌われていた里歌を雅楽の旋律に編曲し宮廷楽譜と選定した国宝　催馬楽譜（書跡・典籍126）が、東京都在住の鍋島藩ゆかりの個人から、平成13年（2001年）佐賀鍋島家十二代当主侯爵鍋島直映が設立した鍋島報效会《ほうこうかい》徴古館に譲渡されました。元々は鍋島家に伝来していた催馬楽譜ですので、それが個人の所有から鍋島報效会に移り、その博物館「徴古館」の管理帰属となりました。ある意味本来の所有者に戻ったというべき譲渡だと思います。という訳で佐賀は国宝を保有する県となりました。佐賀県は国宝を新指定受けることなく国宝を取得出来たということです。

私が国宝探訪を始めた平成12年（2000年）時点で国宝がなかったのは上記2県のほか北海道、群馬県、佐賀県、熊本県、沖縄県の計7道県でした。その後外国人観光客を全国に誘導する意味もあってか、迅速に増えていきました。北海道では平成19年（2007年）に函館市著保内野遺跡出土の中空土偶（考古資料42）が、令和5年（2023年）に白滝遺跡群出土品（考古資料49）が国宝になり2件に、さらに群馬県では平成26年（2014年）に旧富岡製糸場、繰糸場・東置繭所・西置繭所の３棟（建造物２３２）が、令和2年（２０２０年）群馬県綿貫観音山古墳出土品（考古資料48）が国宝になり2件に、熊本県では平成20年（２００８年）に人吉市の青井阿蘇神社本殿等5棟（建造物２２５）が、２０２３年（令和５年）通潤橋（建造物２４３）が国宝になり2件に、通潤橋は安政元年（１８５４年）石造単アーチ形状の日本最大の水路橋として、地元矢部手永の今でいう村長、惣庄屋《そうじょうや》だった布田保之助らの尽力で完成しました。橋の長さ84m、橋の幅６・５m、アーチの径間27・３m、橋の前後１００mに石の樋が3列に土中に埋められており、石管水路の内部にたまった泥や砂を除くために時折放水されてきました。今は観光客用に決まった日の午後1時から15分間放水を見せてくれています。沖縄県では平成18年（２００６年）に琉球王国尚家関係資料（歴史資料2）が平成30年（２０１８年）琉球王朝尚家の歴代国王が葬られている陵墓、玉陵《たまうどぅん》（建造物２３８）が国宝になり、それぞれ2件の国宝も所有する県になりました。最近は意識して国宝指定をされているようにも感じますので、数年で宮崎にも徳島にも国宝に昇格するものが出てくるかもしれません。只、重文そのものも徳島県47件、宮崎県18件と少ないので、お互い国宝のない最後の1県にならないように努力されていると思いますが、簡単ではないでしょうね。

さらに遡って30年前までは国宝のない県が9県ありました。平成5年（1993年）には、北海道、新潟、群馬、富山、徳島、宮崎、熊本、佐賀、沖縄です。皆さんに「国宝のない県はどこでしょう」とお聞きするとよく上がる県名と一致します。

その後富山は平成9年（1997年）高岡市の瑞龍寺の仏殿・法堂・山門（建造物220）が、令和4年（2022年）同じく高岡市伏木の勝興寺の本堂・大広間及び式台（建造物242）が国宝になり2件が、新潟は平成11年（1999年）十日町市博物館の笹山遺跡出土深鉢形土器57点、有名なのは火焔型土器、附として土器・土製品類72点、石器・石製品類791点およびベンガラ塊8点（考古資料39）が国宝に新指定されましたが、佐賀県同様1件に留まっています。同様の県は秋田県です。昭和28年（1953年）に国宝指定を受けた線刻千手観音等鏡像（工芸品117）は直径13・9cmの小型の白銅製八稜鏡で真ん中に千手観音像、左下に仙人右下に天女が彫られ、上方周縁部に天部が4躯線刻され、平安時代の手の込んだ作品です。江戸時代延宝5年（1677年）用水開墾中の田んぼから見つかり近くの水神社に奉納されました。この国宝は年1回8月17日例大祭の日に公開されます。

でも当日行けない方は見事なレプリカが大仙市中仙市民会館ドンパルに常時展示されていますので、お立ち寄りください。民衆が自分の気持ちをドンドンパンパンドンパンパンと唄う『ドンパン節』を創作した宮大工高橋市蔵の家も水神社近くに残っています。見に行かれたら自分のドンパン節を作って楽しまれたら如何でしょう。秋田県はこれ１件でその後増えていません。

ということで、国宝０件は宮崎県、徳島県の２県、国宝１件は秋田県、新潟県、佐賀県の３県です。

Q19　逆に国宝の多い都道府県はどこですか？

皆さんにお聞きすると殆どが京都か奈良かを悩まれて、どちらかをお答えになります。ところが東京なんですね。首都東京が政治経済文化の中心になると人が集まり、それに連れて国宝が集まってきたと思われます。京都か奈良を悩まれた方は、実は京都が奈良を上回っています。これも京都に都が置かれた結果、人も国宝も集まってきた道理だと思います。その次に多いのは江戸幕府が出来るまでは政治経済文化の中心近くであった関西圏ですね。大阪、滋賀、和歌山、兵庫が関東圏の神奈川、埼玉、千葉、栃木、群馬、茨城を圧倒します。

次が東と西の戦いになり、神奈川、栃木、静岡と広島、愛媛、福岡の僅差の競います。東京２９２件（建造物２件美術品２９０件）、京都２３８件（建造物52件美術品１８６件）、奈良２０８件（建造物64件美術品１４４件）、この３都だけで７３８件と全体の65％が見られます。大阪62件（建造物５件美術品57件）、滋賀56件（建造物22件美術品34件）、和歌山36件（建造物７件美術品29件）、兵庫21件（建造物11件美術品10件）、神奈川19件（建造物１件美術品18件）、広島19件（建造物７件美術品12件）、栃木17件（建造物７件美術品10件）、ここまでがトップ10、静岡13件（建造物１件美術品12件）、愛媛12件（建造物３件美術品９件）、福岡12件（建造物0件美術品12件）、愛知９件（建造物３件美術品６件）、岡山９件（建造物２件美術品７件）、山口９件（建造物３件美術品６件）、岩手８件（建造物１件美術品７件）、長野８件（建造物５件美術品３件）、岐阜７件（建造物３件美術品４件）、宮城７件（建造物３件美術品４件）、三重７件（建造物２件美術品５件）、山形６件

（建造物1件美術品5件）、福井6件（建造物2件美術品4件）、香川6件（建造物2件美術品4件）がトップ20の順番です。最後の方は同数で2、3県が競り合っています。建造物では奈良が64件、京都が52件、滋賀が22件と関西圏の圧倒的優勢です。

Q20 誰が一番多くの国宝を創り出していますか？

国宝の製作者としては工芸品の刀剣類で五郎入道正宗が9件で断トツです。短刀5振りは包丁正宗が3振り、永青文庫所蔵（工芸品70）、京博所蔵（工芸品73）、徳川美術館所蔵（工芸品144）、名物名が付いたのが2振り、九鬼正宗　林原美術館所蔵（工芸品206）、日向正宗　三井記念美術館所蔵（工芸品68）です。刀4振りいずれも名物名が付いています。城和泉守正宗　東博所蔵（工芸品22）、太郎作正宗　前田育徳会所蔵（工芸品204）、中務正宗　文化庁所蔵（工芸品215）、観世正宗　東博所蔵（工芸品224）です。只、刀だけで比較すれば一番多いのは古備前派の正恒《まさつね》の６件です。刀　銘正恒はふくやま美術館所蔵（工芸品42）、文化庁所蔵東博保管（工芸品46）、鶴岡八幡宮所蔵（工芸品47）、大阪の個人蔵（工芸品１３０）、徳川美術館所蔵（工芸品１４５）、文化庁所蔵京博保管（工芸品２３２）の６振りです。

　絵画では雪舟の６件が最多です。毛利博物館所蔵の通称山水長巻、四季山水図巻（絵画26）、京博所蔵の天橋立図（絵画31）、東博所蔵の破墨山水図（絵画50）、同じく東博所蔵の秋冬山水画（絵画69）、大原美術館創設者大原孫三郎氏の旧蔵品の山水図（絵画96）、愛知県の斉年寺所蔵の慧可断臂図（絵画１５６）、この慧可断臂図を平成14年（２００２年）５月東博の雪舟展で最初に観た時に、自分のメモに重文だけどこれは国宝になると書き残していました。その予言通りに平成16年（２００４年）に国宝になり秘かに自分の眼に自信が生まれました。雪舟には重文も13件ありますので、まだ増えるかもしれません。ホントに凄いですね。

　彫刻では運慶、興福寺北円堂の弥勒仏坐像（彫刻９）、同じく北円堂の無著菩薩立像と世親菩薩立像（彫刻10）、東大寺南大門の金剛力士像（彫刻35）、和歌山県金剛峯寺不動堂の八大童子立像の内、恵光童子、恵喜童子、烏倶婆《うぐばか》童子、清浄比丘《しょうじょうびく》童子、矜羯羅童子《こんがら》、制多伽童子の６軀（彫刻91）、20代半ばの運慶最初の作品ですが瑞々しさに溢れ技量はほぼ完璧の域に達していたことが分かる円成寺の大日如来坐像（彫刻１１９）、願成就院の阿弥陀如来三尊像、不動明王像及び二童子立像、毘沙門天立像（彫刻１２９）、以上の６件17体が運慶作と明確に分かる国宝です。彫刻以外にも運慶自身も弟子たちにも写本させた法華経６巻　通称運慶願経（書跡・典籍１３８）も京都真正極楽寺所蔵の国宝です。運慶像そのものの彫刻は運慶の四男康勝の作で六波羅蜜寺にあり重文です。

書跡・典籍では空海ですが、それに迫る国宝を制作した書道家はお二人。藤原定家が関係した小倉百人一首など書物や和歌集は沢山ありますが、ずばり自筆は冷泉家時雨亭文庫所蔵の56年に亘る日記、明月記58巻１幅（古文書57）、古今和歌集（書跡・典籍２７０）、後撰和歌集（書跡・典籍２７１）、拾遺愚草上中下３帖（書跡・典籍２７５）、三井記念美術館の熊野御幸記（古文書12）、前田育徳会所蔵の土佐日記（書跡・典籍13）、京都府個人蔵の源氏物語の注釈書、源氏物語奥入《おくいり》（書跡・典籍２３５）の7件です。同じく7件なのが伝教大師最澄の国宝です。奈良博所蔵の伝教大師筆尺牘《せきとく》、「久隔清音」の句で始まるので久隔帖の名がある（古文書

9）、延暦寺所蔵の伝教大師将来目録　貞元二十一燃五月十三日明州刺史鄭審則跋（古文書22）、羯磨《かつま》金剛目録　弘仁二年七月十七日（古文書23）、天台法華宗年分縁起（古文書24）、伝教大師入唐牒《にっとうちょう》（古文書25）、京都来迎院に残る3通の文書が伝教大師度縁案並僧綱牒（古文書29）、1通目は最澄が15歳の時に得度し出家した時の証明書、2通目が18歳の時に近江国師から与えられた僧になることを正式に許可された政府の証明書、3通目は僧綱が近江国師に宛てた最澄をその年の受戒僧として認可した文書です。それに東寺所蔵の弘法大師請来目録（古文書36）の7件です。

この7件を上回るのが空海の8件です。弘法大師尺牘《せきとく》3通　通称風信帖は空海が最澄に宛てた消息3通で空海の書の最高傑作といわれ東寺所蔵（古文書35）です。金剛般若経開題残巻六十三行が京博所蔵（書跡・典籍78）と三十八行が奈良博所蔵（書跡・典籍215）、醍醐寺所蔵の空海が嵯峨天皇のために狸の毛で、楷書用、行書用、草書用、写経用に4本筆を作成し献上した目録、狸毛筆奉納表（古文書40）、もう一つ大日経開題（書跡・典籍45）、神護寺所蔵の灌頂歴名《かんじょうれきめい》（古文書47）、空海が結縁灌頂の儀式を挙行するにあたり、参加した200名弱の名前が並べて書かれており、先頭には最澄の名前が見えます。一見走り書きのようにも見えるのは儀式の手控えのように使用するためと考えられます。高山寺所蔵の字書6冊、篆隷《てんれい》万象名義（書跡・典籍１４４）、金剛峯寺所蔵の聾瞽指帰《ろうこしいき》（書跡・典籍２５１）の8件です。

これらを見ていると空海の自由に筆を振るう技量に惚れ惚れします。公式な文書には威厳を持った字体で、控用であれば走り書きの自由奔放な筆の速さを、自在に使いこなしていることが他の書の名人たちを寄せつけません。融通無碍、奔放自在に筆を振るう空海は別格の器量人です。さらに空海ゆかりの国宝として、空海が唐から持ち帰った曼荼羅図を基に制作された両界曼荼羅図　伝真言院曼荼羅（絵画92）や、持ち帰った現物そのものの宗教法具（工芸品２２９）もあります。いずれも東寺の所蔵ですが、さらに東寺の講堂には曼荼羅を庶民に分かりやすくみせる仏像彫刻を並べた立体曼荼羅など、空海は最大の国宝制作者だと只々感服する次第です。

第2章

国宝の建造物

Q21 国宝も門から入りましょう。国宝の門はどこにありますか？

国宝の建造物のお話は入口から始めます。国宝の門です。

皆さんは校門はじめ沢山の門をくぐっておられると思いますので、門は親しみのある建造物ではないかと思います。西洋では新約聖書マタイ福音書7章にあるイエスの言葉「求めよ、さらば与えられん。探せよ、さらば見つからん。叩けよ、さらば開かれん」。ひたすら求め続ければ、神は必ず応えてくれるということを門に例えて教えています。日本でも解脱門と呼ばれている門を通れば悟りの境地に一歩近づくことが出来ると教えています。

境界を区切るものとして鳥居は神社の専売特許ですが、門は寺院にも神社にもお城にもありますし、また演劇や史実で有名な門もあります。皆さんに思い浮かぶのはどんな門でしょうか。東京であれば、浅草寺雷門、東大赤門、増上寺三門と芝大門、皇居桜田門などでしょうか、でも残念ながら東京には国宝の門はありません。

ちなみに芝大門は元来増上寺の四門の一つで明治4年（1871年）新政府の上知《あげち》

令《れい》で寺領が没収され東京都に寄付されましたが、平成28年（２０１６年）増上寺に無償返還されました。四門のもう一つ、駅名にもなっている御成門は所沢の西武球場の横に移築され重文として残っています。今昔物語集や芥川龍之介の小説『藪の中』、黒澤明監督の映画『羅生門』に出てくる羅生門や朱雀門など平城京や平安京の玄関口として名前はよく聞かれると思いますが、残念ながら現存していません。従って平城京跡地では最大規模の二重門である南の正門、朱雀門の復元がなされましたので、是非当時を偲ぶイメージを形成するには良いと思います。当時の人はそのデッカさに朝廷の権威を感じ吃驚したと思います。是非見上げてみてください。朱雀門の近くすぐ北側に位置する応天門が出てくる国宝の絵巻物があります。それは出光美術館所蔵の常盤光長筆による伴大納言絵詞　上中下の三巻（絵画５）でこの応天門を模して８分の５の大きさで造られたのが平安神宮の正門です。これを見れば応天門の姿が浮かびます。ついでに、夏目漱石の小説『門』は鎌倉円覚寺の山門です。

国宝の門となると全国で24件、そのうち寺院の門が圧倒的な18件、５件が神社で、1件が住居で、お城の門には国宝はありません。場所としてはやはり京都9件、奈良7件と古都が双璧です。

門といっても種類があります。二王門、仁王門、三門、山門、唐門、楼門、大門、凱旋門（日本には真似物しかありません）などの呼び方があります。横の広さを表すのは柱の数とその間に出来る開口の数によって規模が分類されます。柱間が一つの1間《けん》から五つの5間まであります。ちなみに1間は6尺182cmですが、計算が合わない広い間口の三門もあります。柱の間に出来た開口のことを戸《こ》と呼んで、その数で扉の数を示します。縦の高さを表すのには単層1階建てと重層2階建てに分けられます。2階建ては楼門と二重門に分かれ、2階建てで1階には高欄付きの縁を持ち屋根はなく、2階にのみ屋根を持つものを楼門、2階建てでそれぞれの階に屋根をかけたものが二重門です。柱の数で中央に2本の本柱を立て前後に2本ずつ控柱を立てる四脚門、さらに正面を3間とし前後に柱を立てる八脚門に分類されます。最初四脚門は柱4本だと思っていましたが、本柱2本を除いて控柱4本あるので計6本ですのでご注意です。同じく八脚門も本柱4本プラス控柱8本で計12本あります。

豪華絢爛な唐門の国宝は７件

　では豪華絢爛な門から始めましょう。桃山時代の豪華絢爛な建築、安土城、伏見城、聚楽第、大阪城などの殆どは戦乱や火災で焼失し残っていないのですが、門は本丸や城郭から少し離れていたから災難から免がれ、遺構が移設されて残りました。その桃山様式の贅沢で華やかなな装飾を持った門は唐門です。唐門というと中国から入ってきたかのように思われますが、あくまで日本で平安後期から生まれた様式です。鎌倉時代以降広く用いられ、桃山時代にその隆盛期を迎えました。豊国神社、西本願寺、大徳寺、琵琶湖竹生島にある宝厳寺《ほうごんじ》、醍醐寺三宝院、同じ流れで家光が建てた日光東照宮の正面唐門及び背面唐門、及び陽明門の７件です。

　唐門はその名前の通り唐破風の屋根を持つ四脚門が特徴です。その破風とは切妻屋根の側面にある三角形の合掌の部分を指しますが、唐破風は弓を横にしたような形をし、中央が高く、左右になだらかに流れる曲線を持ちます。唐破風が正面に向いていて豪華な彫刻装飾の施されているものを向唐門《むかいからもん》と言い、唐破風が側面の妻側にあるものを平《ひら》唐門といいます。国宝は殆どが向唐門です。向唐門は奥行が深くなるため、前後に2本ずつ控柱を立てるものが多くなり四脚門が通常です。唐破風には軒先の一部だけに設けられる軒唐破風があり、四脚門の向唐門には大徳寺唐門のように中央だけ軒唐破風を付けたものや、西本願寺唐門のように軒全面を唐破風とするものがあります。軒唐破風を付けると、雨は両脇に流れて軒先から落ちない効果があり、従って出入口に盛んに用いられました。唐門は天皇や皇族またはその使者の訪問がある時にお入り頂く門として勅使門となっているところも多いと思います。座主、管長、門主、貫首などが赴任する際にも使われますが、それ以外は開きません。平唐門は殆ど屋根付きの棟門《むなもん》で、四脚門の平唐門の例としては日光東照宮の正面唐門及び背面唐門（建造物33）です。正面は桁行（間口）一間、梁間（奥行）一間の四方唐破風造り、背面は一間一戸、四面とも唐破風をつけた豪華な姿になっています。

豊国神社唐門（建造物119）は四脚門で前後唐破風造りです。京博の裏側にあり、太閤殿下の遺構伏見城から南禅寺塔頭の金地院経由で移築されたものです。映画や大河ドラマで豊臣秀吉を演じる役者は成功を祈願して必ずお参りすると言われる神社です。ここでは鯉の滝登りなど見事な桃山彫刻の中でも注目は左甚五郎作と言われている目無しの鶴です。余りの出来栄えで鶴が飛び立ってしまわないように目を入れなかったと言われています。正面上部の欄間にありますので見忘れなく。鯉の滝登りが彫られた門は太閤さんの立身出世にあやかり、登竜門とも呼ばれています。正月３ヶ日は唐門を通れますので「自分にはもう遅いわ」などと言わず子供さんやお孫さんを連れて是非お通りください。太閤さんにあやかれるかもしれませんよ。

西本願寺唐門（建造物１１６）は四脚門で前後唐破風造りの伏見城の遺構です。平成30年（２０１８年）から修復工事に入りましたので、その前に宗祖親鸞の生誕日に合わせて平成29年（２０１７年）５月21日に１日限りで門を通ることが出来る一般公開がありました。その情報を得ることなく当日京博に新指定の金剛寺の大日如来坐像&不動明王坐像（彫刻１３５）を見に行っていました。帰ってきた翌日友人から「ニュースで見たけど国宝の門をくぐりに行ったのだろうな」と言われ驚きました。その２週間前に実は、高さ８・７ｍ幅５・４ｍの門の浮彫りの極彩色彫刻、中国の故事を題材にしたもの、中央で羽を広げて邪気がくれば食べてしまう孔雀、麒麟、虎と豹、唐獅子、鶴など動物たちをじっくり見に行っていましたから、尚更、残念な思いでした。アンテナを高く張っているつもりですが国宝の公開日を全て押さえることはなかなか難しいと実感しています。尚、二条城の唐門は同じく伏見城から移設された遺構ですので、豪華さでは引けを取らない重文です。

大徳寺唐門（建造物47）は四脚門で前後軒唐破風付きの聚楽第《じゅらくてい》の遺構です。慶長8年（1603年）大徳寺塔頭に寄進され、明治13年（1880年）に国宝の方丈（建造物189）の前方に移されました。その唐破風には渦巻く荒波から空中に跳ねた2匹の鯉が龍に変身し、宝珠を求めて空に駆け上る姿が見えます。中国の神話や説話を題材にしたもの、獏や巣籠りの鶴、栗と枇杷、雲に麒麟などが極彩色の彫刻と五三の桐紋の飾金具が太閤秀吉の威光を伝えています。大徳寺にはもう一つ千利休を切腹に追いやった有名な重文の門があります。大徳寺三門の修復完成に尽力した千利休に感謝の念を示すため雪駄を履いた千利休の木造を三門の上層に飾ったのが秀吉の勘気を被りました。利休の木造を置くということは、高貴な方の頭を踏みつける行為と同じだ、自分を見下すのかと怒った訳です。これは大徳寺の総門から入って本坊に向かって右に回る角にあります。囲いの中にあって少し見辛いのですが歴史の重みを感じますので立ち止まって、重文の三門を眺めて「ここかあ」と歴史をお感じください。

宝厳寺《ほうごんじ》唐門（建造物140）は琵琶湖北岸の長浜港から30分で着く竹生島の船着き場から急な石段を上り下りして途中で右に入ったところに建ち、観音堂の前にあります。慶長7年（1602年）に京都東山にあった豊臣秀吉の霊廟《れいびょう》、豊国廟の極楽門一間一戸を移築したものであることが文献に残っています。宝厳寺には金銀《きんぎん》泥《でい》で下絵を描いた用紙に写経した装飾経の法華経序品通称竹生島経（書跡・典籍194）が残っています。

醍醐寺三宝院の唐門（建造物164）は三間一戸で唯一住居の唐門です。唐破風が両妻側に付いている平唐門です。醍醐寺歴代の座主が居住する坊で、太閤殿下の接待場所でもあった三宝院に皇族を迎えるための門です。有名な醍醐の花見の翌年、慶長4年（1599年）に造られました。門全体が黒漆で塗られ両端に対の菊紋と真ん中に五七の桐紋が二つ計四つ、裏にも四つあるそうです。金箔の大きな透かし彫りの紋が大きくドーンと施され、この派手さが秀吉好みだと思います。桜の季節に出かけるとピンクの桜と黒漆のコントラストがひときわ冴え渡ります。ちなみに庭園は秀吉自ら設計したと言われる国の特別名勝です。その庭園に面した表書院（建造物１７０）は国宝で、書院と言っても縁側に欄干を設け、平安時代の寝殿造りになっています。縁側から庭園を眺めているとゆったりと貴族気分が味わえます。桜の季節なら太閤気分になれます。

日光東照宮陽明門　附旧天井板2枚（建造物35）は三間一戸で四方軒唐破風付き楼門です。陽明門は、建物全体がおびただしい数の極彩色の彫刻で覆われ、一日中見ていても飽きないことから、日暮御門と言われています。門の名は平安京大内裏外郭十二門のうちの東面の北に位置する陽明門に由来します。寛永13年（１６３６年）三代将軍家光の造替です。規模は桁行が約７ｍ、梁間が約４ｍ、棟までの高さが約11ｍです。正面唐破風下に後水尾天皇宸筆の「東照大権現」が掲げられています。柱には屈輪文《ぐりもん》の地の上に丸文を散らし、丸文の中には鳳凰、孔雀、二つ蝶、竜、象、虎、牡丹などが彫られています。12本の柱のうち１本（背面西から２本目）のみは屈輪文が上下逆さになっており、魔除けの逆柱と言われています。組物間の彫刻は、正面と背面に各7個、側面には各４個の計22個もあり、その装飾彫刻の題材はいずれも中国の故事や古代の賢人、伝説上の仙人などです。また上層２階部分の高欄の羽目板には唐子《からこ》遊びと呼ばれる装飾彫刻で覆われています。唐子とは絵画や工芸品の題材として登場する中国の子供のことです。羽目板は正面と背面に各9面、側面には各6面の計30面であり、そのうち10面は鳥や植物などの図柄で、残り20面が唐子遊びです。

お隣の日光輪王寺《りんのうじ》の家光の霊廟、大猷院《だいゆういん》霊廟の重文の夜叉門も見応えがあります。八脚門の軒唐破風ですので、是非立ち寄って比較してみてください。少し家光の祖父大権現家康への遠慮が見えるかもしれません。

悟りへの扉を開く三門・山門の国宝は3件

三門は仏教寺院の正門です。禅宗寺院の七堂伽藍《がらん》の正式の入口、仏門です。三門が山門と書かれるのは、比叡山延暦寺のように寺の多くが山に建立されたことにより、寺院に寺号のほかに○○山と山号をつけました。例えば金龍山浅草寺のように、本来は山に建てられ山号を付けて呼んでいた名残りから平地にあっても山門と呼ばれています。寺院建築の歴史的な流れでは、古く初期の門構えでは南面する正門と東西に二つの副門から構成されており、これを称して三門と呼んだようです。また一つだけの門でも涅槃《ねはん》、苦しみから解放され楽しく安からな世界に至るまでに通らねばならない、とらえどころのないものに捕らわれない空《くう》門、姿や形に捕らわれない無相《むそう》門、執着に捕らわれない無作《むさ》門または無願門の三解脱《げだつ》の門の意味で三門と呼ばれました。また別の由来としては、人間の持つ三つの悪徳、自分の欲するものをむさぼり求める貪欲、自分が嫌い・自分に合わないものを憎み憤る瞋恚《しんに》、物事に的確な判断が下せずに迷い惑う愚痴の三つ、貪《とん》・瞋《じん》・痴《ち》の三毒を解脱する門との説もあります。三門には扉を設けないものがありますが、これは一切衆生が仏門に入ることを拒まない仏の大慈悲心を表すものと言われています。

三門・山門はいずれも荘厳な巨大建築です。三門の国宝は京都の東福寺と知恩院、山門は富山県高岡市の瑞龍寺です。

知恩院三門（建造物221）は五間三戸、各桁行三間、二階部分の左右に山廊付きの二重門です。高さ24m横幅50m、屋根瓦約7万枚に及ぶ日本一の二重門です。元和7年（1621年）徳川二代将軍秀忠の命により建立されました。江戸初期の幕府お抱え棟梁中井家支配による最高建築です。装飾も荘厳です。下から眺めると２階の屋根の反りが雄大で大鷲が翼を広げた迫力に圧倒されます。「華頂山」の扁額が架かりその大きさは畳二畳に相当します。２階の楼上に上ると京都を一望出来ますし、建立の当初の秘かな狙いでもあった京都御所を監視出来る位置にあります。また「華頂山」の扁額も真近に見ることが出来、大きさに驚きます。楼上内部は仏堂となっており、中央に重文の宝冠釈迦牟尼仏像、脇壇にこれも重文の十六羅漢像が安置されています。天井や柱、壁などには迦陵頻伽《かりょうびんが》、天女や飛龍が極彩色で描かれていて、極楽をイメージするのは私だけではないと思います。また造営奉行五味金右衛門が予算を超過したことに責任を取って自害した謂れがあり、その夫婦の坐像が白木の棺に納められました。春と秋の２回は特別拝観が出来ますので、是非上って極楽浄土を感じてみてください。

東福寺三門（建造物49）は、これも三解脱門で五間三戸、左右に山廊付きの高さ22ｍ横幅25ｍの巨大な二重門です。応永32年（１４２５年）室町幕府将軍足利義持が再建し、現存する禅寺の三門としては日本最古のものです。扁額の「妙雲閣《みょううんかく》」も彼の筆によるもので畳３畳分あります。ちなみに東福寺の名前は東大寺と興福寺の伽藍を模範にしたことから一字ずつ頂いたということです。三門も東大寺大仏様式を基調とし、それに禅宗様と和様を折衷した独特な様式を採っています。大仏様式の特徴が強く見られるのが軒下で、柱に穴を開けて水平材を通した貫《ぬき》と数段構えの肘木《ひじき》と組物の構造が多用されている点です。素人ながら気になるのは三門の四方には屋根を支えるつっかい棒が備えられている点ですが、これは秀吉が修理を行った際に付けられたものが残り、太閤柱と呼ばれています。2階の楼上部分は知恩院と類似の法堂です。

国宝ではありませんが三門でひときわ有名なのは、石川五右衛門の煙管《キセル》を吹かして、「絶景かな、絶景かな。春の宵は値千両とは、小せえ、小せえ。この五右衛門の目からは、値万両、万々両……」という名ゼリフで知られる高さ22mの重文の南禅寺三門です。ここが安永7年（1778年）初演以来今も人気の歌舞伎演目「楼門（サンモンと読ませます）五三桐」の舞台です。

もう一つ、織田信長が焼き討ちにした武田家の菩提寺恵林寺の三門です。三門に上った住職快川《かいせん》国師ら百人の僧を閉じ込め、火を放ちました。快川国師が唱えた「安禅必ずしも山水をもちいず、心頭滅却すれば火もまた涼し」安らかな禅を行うのに静かな場所である必要はない。心を無にすれば火も涼しいものとなる、という言葉は余りも有名です。

三門ではなく山門と名乗る国宝の門は高岡市の瑞龍寺山門（建造物２２０）です。三間一戸の二重門で仏殿・法堂とともにセットで国宝に指定されています。瑞龍寺は加賀百万石の二代藩主前田利長の菩提を弔うために、三代藩主利常が建立した寺です。法堂が明暦元年（１６５５年）仏殿は万治２年（１６５９年）に建立されましたが、三門は焼失し現存する山門は、文政３年（１８２０年）に再建されたものです。雪深い高岡ゆえに、２階の屋根から落ちる雪が１階の屋根に当たるのを防ぐため１階と２階の屋根の軒先が余り変わらぬ大きさに造られています。山門、仏殿、法堂と一直線上に並び、山門と法堂を回廊でつないだ境内は木々もお墓も何もなくすっきりと清浄感が溢れる空間を作っています。仏殿の釈迦如来坐像は参拝する人が見上げるとバッチリ目が合う角度に造られています。一度お釈迦様と目を合わせハッとしながらご利益を頂いてください。

門番の仁王様が左右に並ぶ国宝の二王門は7件

二層建ての門で、一階部分初層に屋根のないものを楼門と呼びます。そこに寺院の守護神として、入口の左右に阿形と吽形の金剛力士像二体が安置されると、二王門とか仁王門と呼ばれます。しかし国宝の正式名はどれも二王門で、通称が仁王門です。仁王像を安置し寺院を守る様式はインドのバールフットの塔門に最初の例があり、その様式の流れを持つ日本最古の門が国宝です。どこだろうか考えておいてください。正解は読み進んで頂くと出てきます。また四天王のうちの二天像、特に多聞天と持国天を祀り、楼上には十六羅漢像を安置する様式をとると二天門と呼ばれました。国宝には四天王像が安置された二天門はありません。また神社では仁王像ではなく随身姿の守護神の像を左右に安置しており随身門と呼ばれます。お寺の二王門に倣ったもので、この二神は弓矢を持っている右側（向って左）の若い神像を矢大臣、刀を持つ左側（向って右）の年配の神像を左大臣と呼びます。

門番の仁王様、金剛力士像がお立ちになっている国宝は、吉野の金峯山寺、京都山奥の光明寺、愛媛の石手寺、それに一番有名な東大寺南大門、法隆寺南大門と東大門、それに中門の7件です。

　仁王門に関連して、想像上の門の一つ、鬼門《きもん》とは、丑と寅の方角、今の北東（艮＝うしとら）の方位のことで、陰陽道では常に鬼が出入りする門で万事に忌むべき方角としています。また鬼門とは反対の未と申（坤＝ひつじさる）の方角、今の南西を裏鬼門と呼んでいます。昔の都の造営には陰陽道が使われ、都の鬼門と裏鬼門をどこが鎮守するかが都市計画の最大のポイントでした。平城京では鬼門の方向に東大寺が、裏鬼門の方向に大和郡山の植槻《うえつき》八幡宮が、平安京では大内裏から鬼門の方向に比叡山延暦寺を、裏鬼門の方向に石清水八幡宮を据えています。この鬼門に睨みを利かせる仁王様が詰めている門が仁王門ということです。

　吉野にある金峯山寺二王門（建造物157）は三間一戸の二重門です。室町中期の康正2年（1456年）に建てられた金峯山寺の北門に当たります。石垣の上に建っており、高さ20・3m横幅12・3mの堂々たる構えを見せ、さらに石垣の上に乗っている分大きく高く感じます。細部の装飾も見事です。仁王像は像高5mに達する東大寺南大門の金剛力士像に次ぐ大きさの重文です。注目は屋根の四隅に国宝附の風鐸が付いていることです。風鐸の記憶は復元された平城京の大極殿の屋根の四隅に風鐸が付けられていて、訪問した際は強風が吹いており喧《やかま》しいくらいの大反響音がカランカランと鳴り響いていました。金峯山寺二王門の手前に重文の銅《かね》鳥居がありますが、吉野山の聖域の入口を示しています。また参道には疲れた時のお休み処として草餅・桜餅や柿の葉寿司の老舗が並んでいます。

光明寺二王門（建造物１６５）は三間一戸の二重門です。京都と言っても綾部の山奥、こんなところによくもまあ建てたものだと感慨深い山奥にあります。日本古来の屋根の葺き方に３㎜～５㎜の薄手の板を用いる柿葺《こけらぶき》がありますが、光明寺は栩《とち》葺《ぶき》と称する10㎜～30㎜と厚みのある板を用いています。これを遠くから見るとモザイクの色模様のようです。伝説では推古天皇7年（５９９年）聖徳太子が開創したということですが、その信憑性はともかくそうした伝説が残るほどの古刹です。醍醐天皇の昌泰3年（９００年）頃に醍醐寺の開祖理源大師が真言道場をこの地に開いたのが起源です。二王門は宝治2年（１２４８年）に建立されましたが、天正２年（１５７４年）に明智光秀が光明寺に攻め入った際にも唯一幸運にもその戦火を免れ、今も天空の二王門として幽玄な美しさを見せています。訪問した晩秋は雲海が出る季節で、朝５時起きをして旅館のマイクロバスで見に行きました。光明寺境内の一番高いところから、入口ですから一番低い二王門を眺めると雲海の中に二王門だけが浮かんで見える絶景に遭遇しました。前日麓から歩いて二王門を目指した時は「鹿や猿は勿論、熊も出ますから歌でも歌って登りなさいよ」と言われて注意しつつ登ったことはすっかり忘れてしまいました。

愛媛松山市の石手寺二王門（建造物99）は三間一戸の楼門です。文保２年（１３１８年）に建立された四国八十八ヶ所霊場の第五十一番札所です。均整のとれた二王門は全国の楼門の中でも指折りの名建築と評価され、ミシュランガイド一つ星をもらっています。中でもその蟇股《かえるまた》は、鎌倉期の特徴を備えており傑作らしいのですが、よく見えませんでした。両脇の仁王像の前に人間の倍もある大わらじをはじめ沢山のわらじが奉納されていた印象の方が強く残っています。近くに道後温泉があります。道後温泉本館３階の上に赤いギヤマンガラスの窓をもつ振鷺閣《しんろかく》があり、温泉を発見したと言われる白鷺が屋上に羽を広げています。そこに吊るされた刻太鼓の音色を６時に聞いて一番風呂を浴び、20分ぐらい散歩して国宝の二王門を見て、また帰って神の湯につかるという爽快な朝風呂三昧は贅沢な体験でした。

国宝の阿吽の金剛力士像が中で睨む東大寺南大門の前で

東大寺の正門、南大門（建造物16）は五間三戸の二重門です。間口約38m高さ約25・5mの威風堂々の最大の門の一つです。18本の檜の柱が屋根裏まで貫き、その途中で穴を開けた貫に横梁を通しており、見上げればグーンと反りあがった豪快な姿です。檜は当時としてははるばる山口県から運ばれたと記録されています。釘による固定はなく、いわゆる貫構造で柱の中で組み合わされており、空いた隙間に楔を打ち込むことで固定をしています。風圧や地震の揺れはきしむことで吸収している構造です。肘木《ひじき》と斗《ます》の組み合わせで、釘一本使っていない建築は全てに匠の技と工夫が光ります。この貫構造と組物構造は日本の木造建築を支えてきた日本の匠の技術の結晶です。門の左右には運慶と快慶及びその工房によって69日間で二体同時進行させて完成させた高さ約8・4mの国宝の阿吽の金剛力士立像（彫刻35）は余りに有名です。日本で最大の金剛力士像を下から眺めると目線が合う様に制作されていますし、また下から眺めることを前提に人体のバランスは足短く胸や頭をでかくデフォルメされて迫力は更に凄まじくなっています。

この金剛力士像は門のみならずお堂にも少し小ぶりですがおわします。東大寺法華堂の金剛力士像（彫刻32）は吽形像3・06m阿形像3・264mですが、同じく法華堂の執金剛神像（彫刻6）は1・73m、興福寺西金堂の金剛力士像（彫刻38）は1・54mと人間大の大きさになります。

法隆寺南大門（建造物128）は三間一戸の八脚門です。飛鳥時代の建築物を多くの残す法隆寺では珍しく、時代はずっと700年も下ります。この南大門の創建は古く飛鳥時代（593年から710年）と伝わっていますが、現存の南大門は室町時代永享10年（1438年）建造なのです。本瓦葺の屋根の曲線が美しく、全体に優美さを感じさせる横幅17・5mの門です。さらに雄大さを引き立てているのは、門の左右に大垣と呼ばれる築地塀《ついじべい》が鳥の羽を広げたように伸びているからです。法隆寺南大門の手前に石階段があり、1mぐらい上がった土台に造営されているため、左右に伸びる土塀は門に近づくにつれて傾斜角がつき比翼型になっているのです。法隆寺金堂の肘木は雲斗《くもと》雲肘木と呼ばれ、飛鳥文化を象徴する形をしていますが、この南大門の肘木は花びらのような形をしていて花肘木と呼んでいます。南大門の屋根の形状は、反り返っていて裏側が見えている軒反りという建築技法で、古代中国の建築技法の輸入です。ちなみに法隆寺の南大門に仁王像が置かれていないのは、オリジナルの門の時代を証明する1つの証拠となります。それは寺院でよく見る仁王像はおおよそ奈良時代以降から造立され始められたからです。実は日本最古の仁王像は南大門の真後ろに建つ法隆寺中門の仁王像だと聞けば驚かれることでしょう。中門に安置されている仁王像は木造ではなく粘土造りの塑像《そぞう》です。お出かけの際のご注目としては、法隆寺の七不思議の一つが南大門前石階段の足元にあります。長さ約2m幅1mの大きな鯛の形をした石が埋め込まれています。大和川の氾濫で奈良盆地に洪水の被害が出ても、法隆寺南大門から奥に水が入らなかったという伝説から川の水はこの石があるところまでしか来ない、つまり水害のお守りと言われています。

法隆寺中門（建造物23）は四間二戸梁間三間の二重門です。建立は飛鳥時代の推古天皇元年（593年）から和銅2年（709年）の間との推定です。左右に廻廊がつながり廻廊内には世界最古の木造建築、右に金堂（建造物203）、左に五重塔（建造物22）が聳《そび》えています。中門の一階二階とも正面桁行（間口）が四間、側面梁間（奥行）が三間となっており、柱が20本使われています。それだけでも飛鳥建築の特徴ですがさらに、柱は太くて胴が膨らむエンタシス風、雲の形をした雲斗雲肘木による組物、高欄にはラーメン丼の中華模様に似ている卍崩しの組手、束の下方が割れて人字形をした人字《ひとじ》割束《わりづか》などにも飛鳥時代の特徴的な姿が見られます。日本最古の仁王像は奈良時代に入った和銅4年（711年）に造立されたものですが、高さ3・8mもある朱色の阿形も、黒色の吽形も、塗りはかなり落ち『スターウォーズ』のダース・モールのモデルのようです。また二つの像は元々塑像でしたが、吽形像はすでに16世紀に顔以外の部分は木造に造り替えられているため重文です。従って法隆寺中門が日本最古の仁王門です。

法隆寺東大門（建造物95）は三間一戸の八脚門です。境内の西側の西院伽藍と東側の東院伽藍の間に推古天皇15年（607年）に三棟《みつむね》造りという奈良時代の建築技法で建立されています。三棟造りとは門の前後に屋根があり、その上にさらに大屋根を被せる形の建築構造です。門の中に入って見上げると二つの棟が見えます。外に出ると一つしか見えません。二つの棟の上にもう一つ被さっていることが分かります。東大門の屋根の破風の中央に懸魚《げぎょ》、棟木や桁の先端を隠す装飾板が下がっています。元々は魚を吊るしたような形から懸け魚と呼ばれたのが起源です。その中の猪の目がハート形をしている猪目懸魚が奈良時代の東大門の特徴です。組物は虹形に上に反り返った梁と、蛙が足を開いたような形で荷重を支える材が二重になった二重虹梁《こうりょう》蟇股です。奈良時代の建立になる東大寺転害門《てがいもん》も同じ形式です。東大門から少し夢殿の方向に向かっていくと飛鳥時代の築地塀が突っ張り棒に支えられているのが見えます。築地塀の中には土塀棒と言われる棒が垂直に打ち込まれてはいるようですが、倒れそうで気が気ではありません。あそこに寄付金箱を置けば修繕資金が集まるような気がしますがどうでしょうか。

美しい国宝の楼門は3件　大門は1件

国宝の楼門は奈良の般若寺、京都の石清水八幡宮、熊本人吉市の青井阿蘇神社に、国宝の大門は和歌山県海南市の長保寺にあります。

般若寺楼門（建造物122）は一間一戸の四脚門です。飛鳥時代に創建され天平の頃平城京の鬼門を鎮護する寺でした。「コスモス寺」と呼ばれるように、秋には30種類約15万本のコスモスが咲き乱れます。ピンク、赤、白、黄色の色とりどりのコスモスが境内を彩り女性客で賑わいます。境内でひときわ目立つのが12・6mの重文の十三重石塔です。舒明天皇元年（629年）高句麗の僧、慧灌《えかん》の創建とされ、天平7年（735年）聖武天皇が伽藍を整備し天皇自筆の大般若経を安置しました。鎌倉時代（13世紀後半）に建立された楼門は、下層1間上層3間になる頭でっかちな建造物ですが、屋根が反り返って鳳凰が羽を広げたかのように見え雄大です。建築様式は和様を基調としつつ、上層の組物など細部には貫構造で化粧屋根裏が特徴の大仏様式の意匠を多用しています。上層の組物は複雑な構造のように見えますが飾りで、建物内部では柱が直接屋根の垂木を支える水平材、桁に達する単純な構造で建てられています。つまり、上層の組物は外側から片方の材の端に造り出した突起を作りこれを他の材に彫った穴に差し込む、枘《ほぞ》差しに見せかけた構造で、非常に珍しい工法です。

青井阿蘇神社楼門（建造物225）は三間一戸の禅宗建築楼門です。熊本待望の最初の国宝でした。指定を受けたのは、神社内に入って順に楼門、拝殿、幣殿、廊、本殿の建造物五棟と、附として造営時の棟札1枚と改築の年代や内容が明記された銘札5枚がセットです。社殿群は慶長15年（1610年）から4年かけて造営されたものです。随所に当時の桃山様式をとり入れた多彩な装飾や色彩及び南九州によく見られる雲龍の彫刻が柱などに施されているのが特徴です。楼門は茅葺で高さ12mもあり、禅宗様式と桃山様式が見事に調和した華麗な楼門です。上層軒先の四隅にはめ込まれた陰陽一対の鬼面は、全国他に例がないので見落とさないようにお願いします。訪れた時は赤い鳥居の前の蓮池に極楽浄土を思わせるピンクの花が咲き乱れていて、その先に茅葺の少し鄙びた趣のある楼門だった印象が残っています。令和2年（2020年）7月集中豪雨で国宝の拝殿が床上浸水しましたが、今は見事に復興しています。

石清水八幡宮楼門（建造物２３４）は一間一戸桁行二間梁間一間の向唐破風楼門です。正面廻廊の中央にあり、正面拝所がある檜皮葺《ひわだぶき》の楼門です。

貞観２年（８６０年）宇佐神宮の八幡宮の御神威を受けて平安京の鎮護として石清水八幡宮を、さらに石清水八幡宮から建久２年（１１９１年）源頼朝が鎌倉幕府の鎮守として鶴岡八幡宮を勧請しています。石清水八幡宮本社は２０１６年に10棟一括（建造物２３４）で国宝に指定されました。楼門も10棟のうちの一つで、本殿（内殿及び外殿）、摂社武内社本殿、瑞籬《みずがき》、幣殿及び舞殿、楼門、東門、西門、廻廊3棟（楼門東門間、楼門西門間、背面）に附の棟札3枚からなります。一の鳥居の扁額「八幡宮」の八が鳩の姿をしているのはご存知の通りですが、この筆跡は三蹟の藤原行成の揮毫《きごう》です。名前の由来は山からの湧き水が石清水として守られ、今も湯立神事に使われています。訪問した時はまったりとした水色をしていました。徒然草五十二段に「参りたる人ごとに山へ登りしは、何事かありけん、ゆかしかりしかど、神へ参るこそ本意なれと思ひて、山までは見ずと言ひける。すこしのことにも、先達はあらまほしき事なり。」とあります。その通りに石清水は少し参道から外れますので徒然草の僧侶にならぬようにしてください。貞観元年（８５９年）奈良の大安寺の僧行教が宇佐八幡のお告げを聞き、京都の裏鬼門（南西）を守護する神社を男山に勧請したのが起源と言われています。三座の八幡神は八幡大神である第18代応神天皇が中央で、右が神功皇后、左が比咩《ひめ》大神《おおかみ》です。楼門が一番外側に、外殿と内殿からなる本殿をぐるりと回廊が取り囲み、さらにその中の本殿の周りを瑞籬が廻らされ、その欄間に左甚五郎作と言われる欄間彫刻が１５０点ほどあります。その中には図柄として珍しい牡丹に啄木鳥《きつつき》、葡萄に栗鼠《りす》などがあり、その極めは西門の欄間にいる逸話の目貫の猿です。当初から八幡宮は戦闘の神ですから、数多くの武将たちが参詣・寄進をしています。源義家がここで元服をしたことから自ら八幡太郎義家と名乗りました。織田信長は外殿と内殿の間の21・７mの雨樋が傷みやすいとの訴えに、天正８年（１５８０年）黄金の雨樋を寄進しています。さらに廻廊の外側に海鼠《なまこ》塀を造り信長塀と呼ばれています。現存している社殿は寛永11年（１６３４年）に三代将軍徳川家光の修造によるものです。至るところに菊の紋や五七の桐紋が見つかりますが、葵の紋だけは簡単には見つかりません。楼門の裏側に黄金色に塗られた隠れ葵が誰もが拝む真上にあります。また流れ左三つ巴が御神紋ですが、同時に幣殿の蟇股には流れ右三つ巴が付けられているのは、未完成を意味して末永く継続されることを願っているからです。珍しいのは楼門に続く参道が斜めに付けられていることです。これは礼拝してお帰りになる時いつまでもお尻や背中を神様に見せ続けないための工夫だということです。境内の西側にエジソンの記念碑がありますが、「どうして？」と疑問が湧きます。その理由はエジソンが白熱電球を発明した時に世界中から一番長持ちする竹のフィラメントを探しました。その中に八幡宮のある男山に多く生えている八幡の竹が長時間点灯に最適で、大量に採取され輸出された歴史の経緯から建立されました。またお弁当の代名詞「松花堂弁当」の名は、江戸時代初めの石清水八幡宮の阿闍梨僧であった松花堂昭乗が工夫した、中に十字の間仕切りがあり、縁の高いかぶせ蓋のある弁当箱からきたものです。

ちなみに国宝ではありませんが、日本三大楼門と言われる雄大な楼門があります。熊本県阿蘇市の肥後国一の宮の阿蘇神社の楼門。十二神を祀る由緒ある神社で全国４５０社を超える分社を持つ阿蘇神社の総本社です。全国的にも珍しい横参道で有名です。楼門は高さ18ｍあり、神社では珍しい仏閣の様式で建てられたどっしりぼってりの山門形式の二重門です。

二つ目が福岡県筑前国一宮の筥崎宮《はこざきぐう》の楼門。高さ12mの楼門はわずか12坪の建坪に対して、屋根は83坪もあるという頭でっかちですが雄渾《ゆうこん》な造りです。金色に輝く醍醐天皇の御宸筆「敵国降伏」の額が掲げられています。そのお陰で13世紀の蒙古襲来（元寇）のおり激しい戦闘の末、いわゆる「神風」が吹いて敵を追い払ったと伝えられます。

三つ目が茨城県常陸国一宮の鹿島神宮の楼門。鹿島神宮は国譲りを実現させた建《たけ》御雷神《みかづち》を祀る武闘家の聖地であり、中臣鎌足を祖とする藤原氏の氏神です。総門は初代水戸藩主徳川頼房の命により造営された高さ13mの総朱漆塗りです。東郷平八郎の筆による扁額「鹿島神宮」が架かっています。


時代が下ると楼門の左右に脇門が付属するようになった門が大門です。脇門が付かなくても壮大な伽藍の入口の大きな門という意味でも大門は使われました。最大は高野山金剛峯寺天上伽藍の入り口に立つ重文の大門でしょう。五間三戸の二重門で高さは25・1mあり、左右には東大寺南大門に次ぐ身の丈5・5mほどの金剛力士像が睨みを利かせています。大門と言えば皆さんがピーンと来るのはこちらの門かもしれません。江戸時代になると遊郭に入る門を指すようになり、江戸には吉原大門、京には島原大門がありました。

国宝の大門は紀州徳川家の菩提寺、長保寺大門（建造物131）の三間一戸の脇門なしの楼門です。最初に長保寺が建てられたのは平安時代中期の長保2年（1000年）に一条天皇の勅願により円仁、後の慈覚大師の弟子の性空によって創建されました。その創建の年号から長保寺と命名されたと伝わっています。長保2年（1000年）に造営に着手し17年かけて寛仁元年（1017年）に完成しましたが、但し、実存の大門は南北朝時代の嘉慶2年（1388年）の建立です。左右に仁王像があります。よく整った楼門で三手先《みてさき》組物などに室町初期の特色が色濃く出ています。江戸時代になってから藩祖徳川頼宣が紀州藩主の菩提寺に指定しましたので、紀州徳川家歴代の墓所がある寺として知られています。大門、本堂（建造物129）、多宝塔（建造物130）の3棟が国宝に指定されています。

最後にシンプルな通用門の国宝は3件

最もシンプルに入口通用門として機能していた門は、東大寺の転害門、東寺の蓮《れん》花門《げもん》、それに長崎の崇福寺第一峰門《だいいっぽうもん》です。

東大寺転害門（建造物58）は三間一戸の八脚門です。建立の時期ははっきりしませんが天平勝宝8年（756年）の東大寺の山界図には既に佐保路門と描き込まれているので、それより古いはずです。それが治承4年（1180年）の平重衡の兵火、永禄10年（1567年）の松永久秀の兵火にも焼け残り奈良時代創建時の姿を残す貴重な建物となりました。天平時代の東大寺の伽藍建築を想像出来る唯一の遺構です。害を転ずる意味の転害門は手向山八幡宮に八幡総本宮 宇佐神社が勧請される時に八幡大神がこの門から入り一切の殺生が禁止されたからとか、大仏殿の西北が吉祥の位置にあり害を転ずる意味で呼ばれるようになったとも言われています。門の高さは基壇を除いて10m強で切妻造・本瓦葺の屋根で、その構えは実に雄大です。中央の2柱には今も地元の川上町の有志らによって大注連縄がかけられています。

東寺教王護国寺蓮花門《れんげもん》（建造物87）は三間一戸の八脚門です。蓮華門という名は、空海が自らの死期を悟り高野山に戻ろうとこの門から出た際に空海の足元から蓮華が咲いたという伝説と、それを見送りに来た不動明王が歩いた後に蓮花が咲いたとの伝説があります。私は鬼の目にも涙の如く不動明王の真心の表れの説が気にいっています。その当時の門はなく、現存は鎌倉時代建久２年（１１９１年）文覚上人による再興の際に、本坊西側の壬生通りに面して建てられた通用門です。基本的には奈良時代からの古式を踏襲した門ですが、数ある門の中でもバランスが取れた美しい門です。

長崎の崇福寺第一峰門（建造物１３８）はユニークな四脚門です。江戸時代初期の寛永６年（１６２９年）中国の僧超然が創建に係わり、正保３年（１６４６年）に完成した、隠元を開祖とする黄檗宗、禅宗の寺院です。明末清初期の建築の影響を受けており、雨がかかる部分は朱丹一色塗りにしてあり、まるで竜宮城の入口のようなイメージの門です。でも延宝元年（１６７３年）この下段西向きに、新たに三門が建立され、その重文の三門の方が竜宮造りと呼ばれ、竜宮城のイメージそのままに乙姫様が出迎えに出るような形式の門です。第一峰門に付けられた横書きの扁額「崇福禅寺」と縦書きの「第一峰」から名称が来ています。材料の木材は中国寧波《にんぽー》で部材に切り揃えられ組み合わせられて、元禄8年（1695年）に数隻の船で分けて運ばれて建立された中国由来の門です。

最後にもう一つ門で有名なのは、元治元年（1864年）蛤御門の変の主役、京都御所の周囲の緑地、京都御苑の9外郭門の一つ、新在家御門です。常は蛤のように閉じている門が天明の大火（1788年）で御所が炎上して初めて開いたので、火にあぶられて開く蛤をもじって俗称が付きました。長州軍と京都守護職松平容保軍との間の壮絶な戦いの跡として、門柱に残る弾痕を手で触ることで歴史を感じることが出来ます。この禁門は京都御所の南西の角にありますので是非お立ち寄りください。

Q22 東京に建造物の国宝はいくつあると思いますか？

質問すると皆さん、あれだろこれだろ、と数え始められます。

圧倒的な人気で挙がるのは浅草寺です。次に増上寺、次が旧加賀藩上屋敷御守殿門今の東大赤門、それに皇居が挙ります。時に音楽堂（旧東京音楽学校奏楽堂）やニコライ堂も挙がります。

東京には国宝が令和6年（２０２４年）6月現在２９２件も集まっていますが、建造物は大正12年（１９２３年）の関東大震災や１０６回の空襲で中でも昭和20年（１９４５年）の東京大空襲などで殆どが消失してしまいました。従って、なんとたったの2件です。その点奈良や京都では、地震はかなりの件数記録が残っていますが震源が近い大震災はなかったこと、及び空襲も数回はありましたが大規模な空襲はなかったので、奈良には64件71棟、京都には52件73棟と数多くの国宝建造物が残っています。全国で２３１件２９５棟ですので二都で半分を占めます。

皆さんが挙げられる人気の場所は残念ながらいずれも正解ではありません。いずれも戦前は国宝でしたが、現在は重文です。

増上寺は慶長16年（１６１１年）に徳川幕府大工頭中井大和守正清が建てた徳川

将軍家の菩提寺で徳川15代のうち2代秀忠、6代家宣、7代家継、9代家重、12代家慶、14代家茂の6人の将軍が葬られています。台徳院（2代秀忠）霊廟、崇源院（秀忠夫人）霊牌所、文昭院（6代家宣）霊廟、有章院（7代家継）霊廟が戦前は国宝でしたが、戦災で殆どが焼けてしまいました。その霊廟廃墟を買い取ったのが西武鉄道の堤康次郎氏でした。昭和50年（1975年）後継者の堤義明氏が霊廟の遺構や壊れた宝塔や石灯籠など膨大な文化財を保存するため埼玉県の西武ドーム近くに狭山不動尊の不動寺を建立しました。幸い難を逃れて残った重文の三解脱門、二天門、惣門はそれぞれ増上寺と東京プリンスホテルとパークタワーホテルの敷地内に残りました。片や地下鉄の駅名に残っている御成門、勅額門、丁字門の三つはホテル建設に際して狭山不動尊の不動寺に移設され重文として残りました。

増上寺の大門と言われる三解脱門は堂々たる威風を誇る門です。芝大門と地名に残すぐらいの荘大さです。そこをくぐると三つの煩悩が無くなると言われています。むさぼり貪欲・怒り瞋恚・愚か愚痴を脱したいとお考えでしたら是非お出かけください。見上げる大きさに圧倒されます。大正・昭和期の浮世絵師川瀬巴水の凍てつく雪の中「芝増上寺」前を番傘をすぼめて歩く芸妓の浮世絵は増上寺三門を描いた傑作です。

東大赤門は旧加賀藩上屋敷御守殿門ですが、これも戦前は国宝でしたが現在は重文です。文政10年（１８２７年）に加賀藩第12代藩主前田斉泰が第11代将軍徳川家斉の第21女、溶姫を迎える際に造られました。建築様式としては薬医門切妻造り、左右に唐破風造りの番所を置いています。

赤門を入る機会があれば是非とも屋根の瓦に注目して探してみてください。加賀藩上屋敷の御守殿門であったことは前田家の家紋「梅鉢紋」の瓦、徳川家の姫を奥方に迎えたことから徳川将軍家の「三つ葉葵」の瓦と東京大学の東大マーク「銀杏」の瓦の３種類が屋根に持っているのを見つけると歴史を感じます。周りにおられる東大出身者に聞いてみてください。毎日通っていたのに気付いていなかったという方が殆どです。

ちなみに国宝なり美術品に興味を持たれると何度も上野の東博に出かけられると思います。そこに「黒門」がありますので是非表から裏から見て、比較してみてください。それは旧因州池田藩上屋敷表門です。旧丸の内大名小路、現在の丸の内３丁目から移築されたものです。屋根は入母屋造りでこれも左右に唐破風屋根の番所を備えています。テレビや映画の時代劇の旗本や大名屋敷の典型的な形で、よく登場します。大震災にも東京大空襲にも難を逃れて昔の姿を伝えているのは、まさしく苦労《くろー》門です。なお、黒門近くに置かれている鬼瓦は池田藩ではなく福岡黒田藩江戸屋敷のものです。

また同じく上野のお山にもう一つ黒門があります。寛永寺旧本坊表門が黒門と呼ばれています。上野のお山を探してみてください。

皇居は国宝級ではありますが、お約束事で国宝や重文の指定を受けない対象になっています。建物は比較的新しいと思いますが、所蔵されている皇室財産は国宝1級品が多いのですが、国宝や重文に選ばれません。

皆さんからは国宝だと一番多く言われたのが浅草寺です。一度は行かれたことがあると思います。次に行かれる時のために「楽しさは無限大」の寄り道をしましょう。浅草寺にいくつ大提灯がぶら下がっているかご存知ですか?

これをお分かりになっておられる方は、知るは楽しみなりをご存知の方と思います。一つだと思っていられる方は是非とも四つあることを確かめてください。四つを確かめるのも楽しみです。その四つにもいわく因縁があることも知った上で確かめて頂くと面白さが倍増します。

誰もがご存知の現在の風雷神門と大提灯は昭和35年（1960年）松下電器の創業者松下幸之助の寄進です。これは戦後空襲で焼けてしまった大阪通天閣の復活に日立が巨額の寄付をして日立のネオンを掲げた倍返しです。西と東の刺し違いです。その思いはパナソニックに会社名が変わっても平成25年（2013年）11月に掛け替えられた5基目の提灯の銘板も「松下電器」のままです。

二つ目は宝蔵門の大提灯です。この門はいわゆる寺院建築の三門建築の典型です。国宝の知恩院三門や東福寺三門や重文の増上寺三解脱門や石川五右衛門が「絶景かな、絶景かな」と見下ろした南禅寺三門と同じ荘厳な造りです。宝蔵の由来はここがお宝を収める収蔵庫だからです。浅草寺は「浅草寺経」と言われる法華経開結とも10巻（書跡・典籍7）の国宝を所蔵しています。ここに所蔵されていましたが、劣化防止のために今は東博で保管されています。宝蔵門には左に阿形像、右に吽形像の仁王尊像が立っており、同じく提灯の底には龍の彫り物があります。ここでは門をくぐって振り返ると仁王様の190文4・5mの大わらじが山形県から奉納され、ぶら下がっています。

現在の宝蔵門は昭和39年（1964年）大谷重工業とニューオータニの創設者大谷米太郎氏の寄贈です。そこに掲げられている大提灯には「小舟町」と書かれており、小舟町商店街の寄贈です。どうして小舟町かと言うと由来に遡ります。推古天皇36年（628年）に隅田川に網を打って魚を取っていた漁師の檜前《ひのくま》浜成と竹成の兄弟が金無垢の観音像を掬い上げ、それを郷士の土師中知《はじのなかとも》とともに祀ったのが始まりです。その場所が小舟町だったという説です。観音様を最初に引き上げて祭ったのが小舟町で、その秘仏を浅草寺に移す時に、自分たちの気持ちを残そうとして小舟町商店街が寄贈したのが「小舟町」提灯だそうです。その観音様が浅草寺のご本尊となったことから浅草観音と呼ばれるようなったのです。

このご本尊を拾い上げた三人を浅草寺本堂の東側に祀ったのが浅草神社です。その三人を一之宮、二之宮、三之宮と祀ったのが毎年5月の祭礼「三社祭」の云われです。だから神輿も3基あるのです。私は三社というので、日枝神社、神田明神、浅草神社の三つを指すものと長年勘違いしてきました。小舟町提灯も江戸開府400年の平成15年（2003年）に新調されています。

行けば必ず気付かれると思いますが、宝蔵院の大提灯の両脇に吊り下げてあるのは吊灯籠で魚がし講が寄贈したものです。漁師ゆかりの水産会社や魚市場の魚河岸講が寄進したものです。「大提灯と吊灯籠でどこが違うの」と疑問が湧く場所でもあります。元々折りたためてぶら下げる提灯と元々折りたためない灯籠を吊ってしまったので、見分けがつきません。ここではそれが見比べられる良い場所です。

第三は二天門の提灯です。浅草寺で唯一重文の二天門は境内の東側にあります。その戦災を無事免れた八脚門に「二天門」と書かれた提灯がぶら下がっています。この二天の由来は左に増長天と右に持国天が立っているからです。元和４年（１６１８年）浅草寺境内に造営された東照宮の随身門《ずいしんもん》として建立され、身分の高い人の参詣の際の入退門でした。ちなみに「二天門」の扁額は最後の太政大臣、三条実美の筆によるものです。

最後に本堂の大提灯ですが、これが色っぽい。なんと芸者衆の寄進です。大提灯には「志ん橋」と書かれていて、東京新橋組合のお姐さんたちの名前が周囲にぐるりと書かれているのを確認ください。これは浅草寺の屋根を葺かせてもらったとお礼のつもりで新橋の屋根屋三左衛門が奉納したのが始まりで、その何代目かに屋根屋に代って新橋芸者の心意気を見せることになったようです。この提灯が歌川広重の浮世絵の「浅草金龍山」と題する作品に出てきます。雪がしんしんと降り積もる浅草を背景に手前左に赤い本堂の扉と上に大きな提灯の下半分を、後ろに白い帽子を被ったような五重塔と宝蔵門を配した大胆な構図で出てきます。そこに書かれた字は「雷門」ではなく、「志ん橋」です。

「楽しみは無限大」と言いましたが、浅草寺に行って気付かれていないのは四つの大提灯だけではありません。通称雷門の正式名、風雷神門には右に風神、左に雷神が立っていますが、門をくぐる時に提灯の底も見てください。龍の彫刻がなされています。またくぐってから後ろを向いてください。平櫛田中作の荒々しい天龍像と菅原安男作の艶かしい金龍像がお立ちです。「そんなもの見たことないよ」と言う方は雷門をくぐると目の前に楽しい仲見世が始まりそちらに目を奪われるからです。一度振り向いて見てください。

戦災で焼ける前の浅草寺本堂は徳川家光の建立で豪華絢爛、日光東照宮の陽明門と輝やかしさを競う建物で、東京最古の寺として戦前は国宝でした。今は建築家大岡實が設計した飛鳥建築様式の白壁と赤い柱のシンプルな祈りの場に相応しい建物です。本堂手前のお水舎《みずや》には高村光雲作の沙竭羅《さから》龍王像が立っています。中に入るとお賽銭箱や正面の金無垢の御宮殿に目を奪われて上を振り向く暇もなく押し出されてしまいますが、一度天井を見てください。そこには堂本印象の「天人散華の図」が迦陵頻伽の世界を、川端龍子の「龍の図」には火除けのため龍が八方睨みに睨んでいることを確認してください。

これだけを確かめに行くだけでも浅草寺は随分と楽しいものです。行けば浅草寺と「東京スカイツリー」を一緒に写真に収めるのは参拝客の見逃せぬお楽しみです。近辺には発祥の地の浅草海苔、雷おこし、ホッピーから始まって「天丼の大黒屋天麩羅」、「あわぜんざいの浅草梅園」、「芋ようかんの舟和」、「芋きんの浅草満願堂」、「デンキブランの神谷バー」、普通の醤油を使わない「江戸前ずしの弁天山美家古寿司」、「江戸趣味小玩具の助六」、「扇子の文扇堂」、まだまだ好きな店が一杯あって楽しみは無限大です。

東京の旧国宝の建築物に楽しみが一杯で寄り道してしまいました。

東京は最多の国宝を所有していますが建造物の国宝は2件

本題に戻ります。東京には国宝の建築は2件しかありません。一つは旧東宮御所、いわゆる迎賓館赤坂離宮（建造物226）です。明治以降の文化財で初の国宝に指定されました。明治42年（1909年）建設の見事な宮殿です。しかも重文に指定されると同時に国宝に指定されるというスピード出世です。鹿鳴館を建設したコンドルの弟子だった片山東熊の設計によるネオ・バロック様式の宮殿建築です。建設されて丁度百年を迎えた平成21年（2009年）に指定されました。

平成28年（2016年）から通年の一般公開がされています。私が友人たちを誘って迎賓館の見学に出かけた平成26年（2014年）は年間2万人各日2000人が抽選で人数制限が厳しかったと思います。今は公開日程が公表されており、予約も不要です。料金は一般1500円、大学生1000円、中高生500円となっています。和風別館は専門のガイドが案内するガイドツアーで事前予約が必要です。迎賓館赤坂離宮にはお好きな時間に裏門に出向けば手荷物検査を受けて入場出来ます。

　大正天皇の皇太子時代に皇太子のお住い用に計画されました。日本の技術と文化の粋を集め、世界の宮殿に負けない国威発揚の御所にすべく取り組みました。そのため予算が2倍以上かかり、外観が華美だったこともあり、明治天皇が流石に「贅沢じゃ」と一喝、そのため大正天皇はここに住まわれることはなかったという逸話が残っています。

　西洋の建築様式でありながら、平成28年（２０１６年）フランスの凱旋門賞が行われたシャンティ競馬場の屋根に馬の彫刻が乗っているように、この迎賓館の屋根には青銅製の甲冑を着た武士像が左は口を開《あ》け右は口を結んで阿吽の睨みを利かせて乗っています。片山東熊の設計した西洋建築を近くで見たいならば、同じく大正天皇のご成婚記念として立てられた建造物があります。東博に出かけられた時に、門を入って左側に表慶館が立っています。ご覧になると重文の堂々たる風格を味わうことは出来ますし、同時に西洋建築なのに日本の伝統も感じることが出来ます。入口の前に、日本橋三越の玄関にあるライオンのように、左右にライオンが両前脚を延ばして座っています。なんと阿吽の口になっているのは如何にも日本の伝統芸術とお気付きになるでしょう。

また迎賓館の中には日本の匠の最高の技を結集した調度品でぎっしりです。彩鸞《さいらん》の間、大理石で造られた暖炉の両脇に、金色の「鸞」と呼ばれる架空の鳥がデンとお客を迎えます。来客が通される控えの間、謁見《えっけん》の間、条約の調印式の間として使用されます。

次が花鳥の間、130人まで招くことが出来る公式晩餐会の間です。名称は36枚の天井画、欄間に張られたゴブラン織り風綴織《つづれおり》、壁面に飾られた30枚の七宝花鳥図の図柄から来ています。この七宝焼きは当時世界の万博に出品して金賞大賞を受賞した濤川《なみかわ》惣助の国宝に価する名品です。

その次が朝日の間、首脳会談の場や賓客のサロンです。朝日を背景に女神オーロラが左手に月桂樹を右手に四頭の白馬の手綱を持ち、香車（チャリオット）を走らせている姿が楕円形の天井画として描かれています。この朝日が名前の由来です。ここで平成26年（2014年）4月24日国賓オバマ大統領と安倍首相との日米首脳会談が行われました。ここには国威発揚を意識してか、あちこちに16菊紋と五七桐紋が出てきます。天皇家の御紋は菊と思い込んでいましたから、何故五七桐紋が描かれているのか、豊臣秀吉の紋じゃないのかと最初不思議に思いました。天皇が秀吉に下賜した桐紋は五三桐で枚数を少なくしているとの説明を聞いて納得しました。

次が羽衣の間、ここは舞踏会場として設計されました。天井画に続く丸い壁面一杯に謡曲「虚空に花ふり音楽聞え、霊香《れいきょう》四方《よも》に薫ず」の「羽衣」が描かれているらしいのです。フランス人画家に日本の話をよく説明の上描かせたようですが、羽衣をまとった天女よりも、なんとなくキューピッド的です。ここは大広間で３基の８００kgの大シャンデリアが下がっており、北側の中二階には舞踏会の演奏を奏でるオーケストラボックスが付いています。一度着飾ってこの部屋で踊ってみたいと思うことでしょう。

迎賓館ですので、国賓は通常ここにお泊まり頂くことになっています。平成26年（２０１４年）オバマ大統領は迎賓館には泊らずホテルオークラに滞在しました。令和元年（２０１９年）５月のトランプ大統領もパレスホテル東京でした。国賓待遇は受ける側も大変のようですから、実務に徹したようです。迎賓館を参観すると、国賓がどんな部屋で寝泊まりするのだろうと興味が湧きますが、残念ながら参観コースには含まれていません。

そして正面玄関には世界中から集めた大理石をふんだんに使った中央階段と玄関ホールがあります。ここは来訪した賓客を天皇皇后両陛下がお迎えになる場所です。重厚な鉄扉を開けると黒と白の日本流に言えば市松模様、西洋風に言えばチェス盤のチェック模様の床に真紅の絨毯が敷かれた玄関ホールに迎えられ、中央階段を上ると2階の朝日の絵画が出迎え、帰る際は1階の夕陽がお見送りするおもてなしがなされています。

我々が退出する通用口には、銀座コロンバンの壁画だった藤田嗣治の「母と子」と「天使と女性」が移設されていて見ることが出来ます。

このように欧州の宮殿に負けないだけの充実した内装になっています。是非「へぇ、日本にもこういう宮殿があるのだ」と新鮮な驚きを味わって頂きたいと思います。皆さんも招かれた賓客のつもりで華やかな空気を堪能してください。

こうして東の迎賓館は西洋に負けじと建築されましたので、どうしても西洋風です。出てくる晩餐会の食事もフランス料理と決まっているようです。それでは日本のおもてなしや和食を提供する場所があっても良いのではと、迎賓館には和風別館

東京に2件しかない国宝建造物の一つ、東村山市の正福寺地蔵堂の前で

游心亭が谷口吉郎氏の設計で昭和49年（１９７４年）に建てられました。さらに平成17年（２００５年）に西の迎賓館、京都迎賓館が開館しました。庭園から始まり部屋も料理も全て和風です。ここも申込制ですが、諸外国の来賓に接遇に支障がない範囲で公開されていますので、京都迎賓館の公式サイトから申込してください。

もう一つの国宝建造物は東村山市の正福寺千体地蔵堂（建造物39）です。

私が住んでいる国分寺にも走っていますが、「いざ、鎌倉」と御家人が馳せ参じる鎌倉街道の近く、東村山駅西口から徒歩10分程度のところに禅宗様式の千体地蔵堂があります。鎌倉街道の北の端の地蔵堂は鎌倉街道の終点鎌倉にある円覚寺舎利殿（建造物2）とそっくりです。

弘安元年（1278年）臨済宗建長寺派の寺院として建てられました。いわれは北条時宗が鷹狩りにこの地におもむいた際、突然高熱に見舞われ病に倒れました。時宗の夢枕に地蔵菩薩がお立ちになり「この丸薬を飲め」と言われ、飲むとたちまちに快癒しました。時宗がこれに御礼として地蔵菩薩を祀るべく飛騨の大工を呼び寄せて七堂伽藍を造営した由です。そこから病気平癒など悩み事をお地蔵さまに祈願して成就したら木彫りの地蔵菩薩を奉納する習慣が始まりました。

地蔵堂には元寇の役2度目の弘安の役（1281年）の地元から出兵した犠牲者も祀ったとも、当時流行った疫病の犠牲者を祀ったとも言われています。昭和の解体大修理時に発見された地蔵堂の尾垂木《おだるき》の墨書から室町時代応永14年（1407年）の建立とされましたので、本体正福寺伽藍の建立が先で地蔵堂は130年ほど後だったようです。従って、時宗の病気治癒のいわれは混同されているのかもしれません。

禅宗様の代表的建築で、正面も側面も3間の母屋の周囲に1間の裳階《もこし》が付いた形式で、上から見ればほぼ正方形をしています。京都の禅宗の屋根には１件も現存していない薄く削った細長い板を重ねた柿葺建築です。これは昭和の大改修時に茅葺きから当初の姿に戻されました。

入母屋造りの屋根の端部が反り上がった外観が特徴ですが、これが当時の匠の驚きの素晴らしい技です。その傾斜が縄をたるませた勾配となっており縄だるみ曲線になっています。それは雨が降って雨粒が一番早く落ちるのは直線勾配の屋根でなく、最速降下曲線といわれるサイクロイド曲線で、この縄たるみ曲線の屋根と一致するのだそうです。お出かけになって昔の匠が如何に優れていたかを、屋根の勾配を眺めながら感心出来ると思います。「へえ〜、昔の匠は数式なんて使っていなかったのに凄いことが分かっていたのだ」と感動出来ると思います。

千体地蔵堂の中は名前の由来通り千体の小地蔵がぎっしりと並んでいます。昔は祈願する人は地蔵堂の小地蔵を一体借りて家に持ち帰り、願いが成就すれば、もう一体添えて奉納したからだそうです。今は地蔵堂の外に設けている安置棚に新しい小地蔵が並んでいます。現在も小地蔵さんを奉納する習慣は残っていることが分かります。祈願門を出て真っ直ぐ進んで通りに出て、東村山駅方面に左に折れるとほどなく「お菓子処清水屋」が出てきます。そこで正福寺でお祓いを受けたミニお地蔵さまが一体3000円で売られていました。一緒に出かけた先輩は、息子と娘が30半ばになっても独身なので、早く良い相手を見つけて結婚するように祈願するのだと買い求められました。でも今は一体3500円に値上がりしていました。

地蔵堂の内部を拝観出来る日は決まっています。6月の第2日曜日と8月8日及び地蔵祭の11月3日の年三回です。外観だけならいつでも見学可能で無料ですので、ドリフターズの故志村けんさんのふるさと東村山に是非お出かけください。

彼は東村山市の名誉市民で、『東村山音頭』によって東村山を全国に広めた功績を讃えて昭和51年（1976年）記念植樹された「志村けんの木」が駅前東口に3本聳えています。何の変哲もない公衆トイレの前のけやきの木です。令和3年（2021年）には袴姿でアイーンのポーズをする志村けん像も建立されましたので、話のネタにお立ち寄りください。

寺院や神社で国宝を見学する時は一つお守りください。寺院や神社も所蔵する仏像仏画など美術品も信仰の対象物ですので、参拝をするつもりで脱帽して神様仏様へのご挨拶、神社では二礼二拍一礼、寺院では合掌一礼をして礼を尽くして見るようにしてください。せかせかした気持ちを抑えゆったりと落ち着いて拝観してください。いろんなことが見えてくると思います。

Q23 ファンもテレビ番組も多いお城には国宝はいくつありますか？

お城は皆さんに愛されて、多くの方が日本全国のお城を制覇しようと巡られています。有名人も歌舞伎役者の故坂東三津五郎、TBS看板アナウンサーの安住紳一郎、お笑い芸人ロンドンブーツ1号2号の田村淳、中でも落語家の春風亭昇太は本格的にお城を解説出来るプロです。友人にもお二人、全国名城巡りを続けています。

勿論お城のプロといえば、名実とも有名だったのは鳥羽正雄先生で昭和36年（1961年）お城の研究で文学博士号を取られた第1号です。有名なエピソードとして、宮内庁から「お城の講義」を昭和天皇がしてほしいということで鳥羽先生のところに要望ありました。陛下のご質問は「清州城ってどんなお城だったのかね」ということだったらしいです。昭和天皇もかなりマニアっぽく渋いお城がお好きだったのですね。現在ならお髭の千田嘉博先生、城郭考古学者で元奈良大学学長、勿論織豊系城郭研究で文学博士号を取られています。

お城好きの方は好みがお城のパーツごとに分かれているようです。例えば、お城といえば天守という方が圧倒的に多いと思います。次に石垣、石垣が好きな人は天守が既になくても結構石垣は残っていますから、石垣を求めて何千里も追いかけたりされてます。初心者でもよく見ると石の積み方にもいろいろあることが分かります。セメントのような接着剤がない時代に堅牢な石垣を積む工夫は棟梁の腕の見せどころだったのですね。石垣の大敵は雨水で内側にたまらないように石垣の裏側に小さな小石でびっしり裏込めされて、雨水の通り道を造っています。また大きな地震の際は小さな石が動くことで揺れを吸収する働きもしています。特に石垣の角というか隅は「算木積み」といって四角い棒状の石の長辺と短辺を交互に90度向きを変えて重ね合わせています。それは国宝旧富岡製糸場（建造物232）のレンガ造りの建物にも応用されており、入口で見本を提示して説明しています。石垣中心にお城を廻られる方は、石垣積みの美しさに痺れていらっしゃいます。織田信長が延暦寺を焼き討ちした際に、残った石垣の堅牢さに驚き、安土城の石垣造りを任せた技能集団がいて、穴太衆《あのうしゅう》と呼ばれています。その穴太積みは個々の石がそれぞれに振動を吸収して揺れを抑え地震や風雪に強いということで、その後の殆どの名城、大阪城、名古屋城、姫路城、松江城、高知城、熊本城、江戸城にも用いられました。特にその技術を今も伝承している集団が大津市の粟田建設１軒だけだそうです。需要が少なくなっても技術が伝承されているのは素晴らしいことです。

石垣以外には天守に続いて本丸、二の丸、三の丸、西の丸や、城門や櫓、濠や堀、屋根瓦などにご興味をお持ちの方もおられます。そのパーツはいわゆる縄張りと呼ばれる城全体を見渡すレイアウト、縄を張って土地の境界線を定めたことから来た言葉です。お堀、城門、城の出入り口である虎口や城の内外を区画した区域である曲輪《くるわ》などの城郭設計図です。それは簡単には攻められないような工夫と如何に防御を固めるかの仕掛けの総決算とも言えますので、縄張りに魅せられている方も多いのです。曲輪で強い印象残っているのは、上杉謙信の居城春日山城の重臣直江家の曲輪で、山城で狭いのは仕方ありませんが、我が家ぐらいの大きさだったので吃驚しました。

息子が駐在しているドイツに旅行して初めて気付いた点があります。日本ではお城と言えばひとくくりですが、ドイツではお城は2種類に分かれています。ドイツの城の目的は大きく分ければ「防衛」と「居住」です。軍事目的に造られた要塞とか砦といった戦争・戦闘・防御を目的として造られた城をブルク、概ね騎士が活躍した16世紀までの時代です。山の頂上や周囲を水に囲まれた攻撃されにくい場所に建てられました。城壁の上部は通路になっていて人が行き来出来ることや、堀があって入口は跳ね橋になっているとか、物見や見張りの一番高い塔、望楼などが特徴です。

もう一つは16世紀以降に登場した居住のための城です。あくまで領主の居住のために建てられた城をシュロスと明確に分けていました。少しは防衛の観点も考慮されていますが、居住のために内装も外観も美観が求められています。これがさらに発達するとパレス、宮殿として軍事機能は極力排除され、領主王侯の威厳と力を示す建物になります。

ドイツで有名な城と言えば、ノイシュバンシュタイン城です。山頂に建っていますが、シュロスでブルクではないと区別していることを知りました。日本では二条城がそれに近いかもしれれません。お城と名前が付いていますが、日本人のお城のイメージ通りではない、つまり天守閣を持たないお城です。国宝のお城には数えません。住居の分類になっています。この二条城二の丸御殿（建造物75）は国宝です。この二条城は徳川幕府の始まりと終わりの舞台です。徳川家康が慶長８年（１６０３年）征夷大将軍の宣下を受け拝賀の礼を行ったのは二条城、第15代将軍徳川慶喜が慶応３年（１８６７年）大政奉還を発表したのも二条城だったのです。その襖絵は徳川幕府の威信をかけて総金箔の背景に狩野探幽を中心とした狩野派に１０００枚もの力強い絵を描かせています。二の丸御殿の国宝は６区分され、遠侍及び車寄、式台、大広間、蘇鉄の間、黒書院（小広間）、白書院（御座の間）をお廻り頂き、まばゆいばかりの金箔障壁画とともに圧倒的な力を見せつけていた時代に思いをはせてください。「その時歴史が動いた」の舞台で時代の空間、空気感を味わって頂くのも国宝探訪の楽しさです。

日本のお城は防御と居住の二つの目的を持ち、権力の美と軍事を兼ね備えた建造

物です。お城のイメージを持つ天守・大天守が現存しているのは全部で12ありま
す。そのうち国宝のお城は五つあります。でも少し不思議なことに国宝の数として
は9件です。

それらはいずれも歴史の荒波を乗り越え、今も燦然と聳え立っています。大きく荒波は3度あったと思います。勿論それぞれのお城には、戦乱や自然災害や失火などの苦難に遭遇していますが、それを切り抜けて残った全国のお城が共通して直面した荒波は3度ありました。江戸時代の一国一城制度で各藩一城に絞られた時、明治維新の廃城令で廃屋として荒れ果てかけた時、太平洋戦争の空襲で焼失の危機に面した時の3度です。その3度の荒波を乗り越えて残ったと知るとなんて美しいことかと一層感じます。残っているお城はその3度の荒波に直面しながら、地元の熱意や努力によって救われてきました。例えば姫路城は白いお城なので目立っては空襲のターゲットになると考え、爆撃機からの目を避けるために天守全面に黒い網をかけて隠されました。いずれも戦前は国宝だった仙台城、名古屋城、大垣城、和歌山城、岡山城、福山城、広島城、首里城などの名城が空襲、熊本城天守は西南戦争で、松前城は昭和24年（1949年）の松前町役場の失火が飛び火して焼失したこ

とを考えれば、数々の修羅場を切り抜けて生き残った戦国武士のような凛々しさが感じられます。

お城は外から見ても天守から見ても絶景なり

国宝の5基のお城を列挙しておきます。姫路城は兵庫県姫路市、築城が正平元年（1346年）、天守建造は慶長6年（1601年）、譜代姫路藩池田家15万石の城。犬山城は愛知県犬山市、築城が文明元年（1469年）、天守建造は慶長6年（1601年）、譜代尾張藩成瀬家3万5千石の城。松本城は長野県松本市、築城が文禄3年（1594年）、天守建造は慶長20年（1615年）、譜代松本藩石川家6万石の城。松江城は島根県松江市、築城開始が慶長12年（1607年）、天守建造は慶長16年（1611年）、親藩松江藩堀尾家・京極家・松平家と3交代した18万6千石の城。彦根城は滋賀県彦根市、築城開始が慶長8年（1603年）、天守建造は慶長11年（1606年）、譜代彦根藩井伊家23万石の城です。

重文も紹介しておきます。7基あります。弘前城は青森県弘前市、築城が慶長

16年（1611年）、天守建造は文化7年（1810年）、外様弘前藩津軽家10万石の城。丸岡城は福井県坂井市、築城が天正4年（1576年）、天守建造年は不明、外様丸岡藩柴田家5万石の城。備中松山城は岡山県高梁《たかはし》市、築城が仁治元年（1240年）、天守建造は天和元年（1681年）、譜代近江小室藩小堀家5万石の城。ちなみに藩祖は小堀遠州です。丸亀城は香川県丸亀市、築城が慶長2年（1597年）、天守建造は万治3年（1660年）、外様丸亀藩生駒家5・15万石の城。松山城は愛媛県松山市、築城が慶長7年（1602年）、天守建造は嘉永5年（1852年）、親藩伊予松山藩加藤家15万石の城。高知城は高知県高知市、築城が慶長8年（1603年）、天守建造は延享4年（1747年）、外様土佐藩山内家24万石の城。宇和島城は愛媛県宇和島市、築城が天慶4年（941年）、天守建造は寛文6年（1666年）、外様宇和島藩伊達家10万石の城。ちなみに親藩とは家康の男系男子・子孫が始祖となっている藩を指します。特に、徳川姓を名乗った尾張、紀伊、水戸の御三家、田安、一橋、清水の御三卿は、後継ぎが生まれない場合に将軍家が途切れてしまったら困るので、これらの家の中から次の将軍を選ぶようにされていました。その他の分家は松平姓を名乗りました。会津松平家が幕末の会津戦争で１ヶ月立て籠った若松城、通称鶴ヶ城はその時の損傷が激しく再建ですので重文でもありませんが、美しさは歴史の重みが加わって際立っています。譜代は関ヶ原の戦い以前から徳川家に仕えていた大名です。堀田家や稲葉家など老中や若年寄など幕閣の要職に就く資格を持ちます。石高が１万石以上は大名ですが、１万石以下と低いと旗本です。外様は関ヶ原の戦いの後に徳川家に仕え始めた大名です。加賀藩前田家、薩摩藩島津家、長州藩毛利家など有力大名がいます。

国宝行脚中にお城を動かせることが分かって吃驚しました。

重文の弘前城は桜の名所としても有名ですが、石垣工事のために高さ17m重さ４００トンの天守を移動させました。私は過去十年間の開花から散り始めまでの統計をとって必ずこの期間なら間違いなく開花中の桜が見られると計算して１年前にホテルを予約して出かけました。しかし前日前々日の嵐のために見事外れてしまい、お堀の景観は葉桜になってしまいました。うまく行かないものです。それでもお濠や桜の木の下は花筏と桜絨毯で埋まり、天守周辺のしだれ桜は満開で充分に堪能出来ました。

移動させた理由は、石垣に大敵の雨水が溜まり外側に膨らんでしまい、はらみの状態と診断されたからです。地震が来れば崩落の恐れありということで、土台部分の石垣を修理するためです。解体せずに油圧ジャッキ4台で60㎝持ち上げ、78m曳屋して途中で2度方向転換を経て移動しました。1日約1m～1・5mなので約3ヶ月かかりました。平成27年（2015年）9月13日に最初の反時計回りに約25度回転させる作業が行われました。天守をもとの位置に戻す曳屋は当初6年後の予定でしたが、大幅に遅れ2025年の予定だそうです。

天守の創造者は織田信長です。現存している天守は12ですから、天守が残っていれば重文以上にはなると言えそうです。この天守を最初に建造した信長は、天正4年（1576年）丹羽長秀を総普請奉行にして築城を開始し、標高199mの安土山に高い石垣を築き、瓦葺の高層建築を天正7年（1579年）完成させました。当時の「信長公記」などには天主と記載されています。新しいものが好きな革命児の信長自身最上階を信長がキリスト教の神であるデウスから天主と名付けました。ところが天主完成から3年で、明智光秀が天主に住んだ画期的な山城の誕生です。ところが天主完成から3年で、明智光秀の謀反による本能寺の変で信長が自刃した後半月足らずで、焼失してしまいました。天主が残っていれば間違いなく国宝です。

国宝の規模を表す重・層・階は紛らわしいのでご注意です。重数とは外観から見た時の屋根の数のことで、階数が内部の床の数のことです。層というのは、高い建物の階層とか、階の重なりを示したりしますので、時に階と同意語で用いられることもありますが、少しあやふやな点もありますので、ここでは層は使用しません。

近江八幡市安土町の「安土城天主信長の館」に行くと天主はかくありなんと存在しています。平成４年（１９９２年）スペインのセビリア万博の日本館のメイン展示として安土城天主の最上部５重６階が東京大学、東京藝術大学、京都市立芸術大学の指導のもと内部の障壁画とともに原寸大で復元されました。最上階は金色、その下の階は朱色の八角堂となっており、内部は黒漆塗り、華麗な障壁画で飾られていたとされ、それを再現しています。近江八幡市（安土市は合併する町民の意見統一が出来ず誕生しませんでした）が譲り受け５億円の解体輸送復元費を近隣の市と共同で負担して再現させました。内装の豪華絢爛な金碧障壁画も復元され、ポルトガル人宣教師ルイス・フロイスが安土城の総棟梁岡部又右衛門の案内で初めて見た時に目を見張ったと伝えられていますが、それと同様の驚きが襲います。山本兼一の小説『火天の城』に出てきますので追体験してください。

安土城址に行ってみると、如何にも信長らしく城門から、今は入場受付口から真っ直ぐ上に石段が伸び、その上の天空に聳え立つ天主が見えたのだろうと想像出来ます。その石段を上る全ての家臣や武将に信長の天下人としての凄さと権力の誇示が身近に迫ってきたのだろうと想像出来ます。その石段の上から下界を眺めると権力者の壮大な思いが伝わってきます。天主址は東西南北28mの台地に1・2mおきに整然と並ぶ礎石だけが残り、今は「兵どもが夢の跡」です。天主跡から琵琶湖方面を眺めると今は埋め立て後の田んぼが見えますが、信長の頃は琵琶湖に直接舟で繰り出せたそうです。信長は琵琶湖の絶景とその後ろにある京の町を見ていたのだろうと想像を逞しく出来ます。幻のお城は見た目にもその天主からの眺めも絶景だったと思います。

安土城を実際の建物で復元しようと建てられたのが、大阪青山大学の歴史文学博物館です。天主を頂き金碧障壁画の再現にも努力をされており博物館自体が安土城の巨大なレプリカです。ここに国宝の土左日記（書跡・典籍274）が所蔵されています。安土城をイメージした建物見学も兼ねて是非お出かけください。

まだ見ぬ国宝を追いかけて旅をしていると、思いがけず車窓からお城を見ることがあります。高山線で名古屋から高山に向かう途中で、岐阜駅を出たらすぐに左側に岐阜城、またすぐに右側に国宝犬山城が見えます。東海道線を米原から京都に向かうと右側に国宝彦根城が望めます。また山陽本線では姫路駅から国宝姫路城が道路の先に聳えていますし、圧巻は福山駅で、真近に旧国宝から復元された福山城が迫ります。さらに車窓から見られる国宝としては大阪方面に向かって京都駅出てすぐ左側に東寺の五重塔が目に飛び込んできます。

平城・平山城・山城と三大山城

お城は殆どが山の端か平野の中の１００ｍ以下の小高い丘の上に戦略上建てられました。正確に言うと高さは標高ではなく麓から山頂までの比高が１００ｍあるかないかが目安になります。防衛上都合が良いことと、敵の動きを知る物見の上でも眺望が利くからです。お城も建てられた高さによって平城、平山城、山城と分類出来ます。

国宝の姫路城は標高45・6mの姫山、彦根城は標高50mの彦根山（旧名は金亀山）、犬山城は標高88mの乾山、松江城は標高28mの亀田山の山頂に建てられた平山城で、松本城だけが唯一の平城で善光寺平の平地に建てられています。何となく姫路城は平城、松本城は山国長野だし平山城と錯覚していませんか。重文の弘前城は標高44・4mの鷹岡、丸岡城は標高17mのまるこの丘、丸亀城は標高66mの亀山、松山城は標高132m比高100mの勝山、高知城は標高44・4mの大高坂山、宇和島城は標高80mの城山の上に聳えています。重文の中で備中松山城だけは唯一山城で、標高430mの小松山の上にあります。安土城は標高199mの安土山ですので山城です。安土城の前に織田信長が築いた岐阜城も標高329mの金華山の目立つところに聳えています。あちこち登ってみて山城を一番実感したのは上杉謙信の居城、春日山城です。標高はわずか180mの春日山ですが、その上り道は急峻で、こんなところに住んでいたのでは生活するのも不便で大変だったろうなと痛感しました。重臣たちの屋敷も山中の山肌を削って建っており、のちの家老直江兼続の屋敷跡も残っていますが、こんなに狭いところだったのかと驚いたものです。

平城は松本城はじめ、名古屋城、広島城、小倉城、大阪城が挙げられますが、大阪城は実際には標高38ｍの上町台地の上にあります。

ちなみに日本に三大山城と言われるお城があります。これこそ朝鮮の山城を真似して取り入れた戦いと防御のためのお城です。奈良の高取城、岐阜の岩村城、岡山の備中松山城です。

標高４３０ｍ比高３７０ｍの高取城には周囲が30㎞の及ぶ城郭に３層３階の天守と27の櫓と33の門が立ち並んでいたと言われますが、明治４年（１８７１年）の廃藩置県、明治６年（１８７３年）の廃城令のお陰で今は石垣のみが残っています。岩村城も当時の天守は日本で一番高い７１７ｍにあり、霧が多く霧ケ城と呼ばれていましたが、同じく今は石垣のみの遺構が残っています。備中松山城は唯一天守と二重櫓が残り重文になっています。11月12月頃には雲海に浮かぶお城が見られます。

雲海に浮かぶ城で一番有名なのは、天空の城とか日本のマチュピチュと呼ばれている兵庫県朝来市の竹田城です。早朝運が良ければ雲海に浮かぶ城が見られ、「石のことは石に聞け、石の行きたいところに置け」という石工集団、穴太衆の手になる石垣群の威容が雲に浮かぶ姿は思わず息を呑みます。それを楽しみに年間20万人もの人たちが訪れます。黒澤明監督の『影武者』（1980年）、深作欣二監督の『魔界転生』（1981年）や滝田洋二郎監督の『天地明察』（2012年）はじめ時代劇映画のお城の場面では竹田城がよく使われています。勿論標高354mの竹田城が雲海に浮かぶさまは、対面にある頂上が757mある立雲峡から見える天空の城の絶景です。9月から12月のよく晴れた日の早朝にお出かけください。日の出から朝8時までが見頃のようです。立雲峡の展望台は三つあって、第1展望台は駐車場から5分ですが、竹田城と同じ目線で、横から眺める感じです。第2展望台は20分で着きますが、竹田城よりやや高い目線です。第3展望台には30分かかりますが、竹田城を見下ろす感じがして皆さんの期待する構図が浮かび上がります。是非ここまで頑張って上ってください。

また丹波の山奥で天空の門に遭遇したことがあります。既に国宝の門のところでご紹介した、国宝の光明寺二王門（建造物165）です。JR山陰本線綾部駅からバスを乗り継いで1時間15分、バス停あやべ温泉前から徒歩で50分のところにあります。あやべ温泉唯一の旅館「二王館」の支配人から「この寒さなら明朝は雲海が出ますよ」とお誘いがあり、翌朝６時に出かけました。まだ本格的な季節ではなかったのですが、十分に雲海と天空の二王門を堪能しました。

ちょっと変わったお城を紹介します。沖縄ではお城をグスクと呼び、がっちりと外側を石垣で固め、内部に御嶽《うたき》と呼ぶ拝所が設けられています。平成12年（２０００年）12月には五つのグスクと四つのグスク関連遺産が、琉球王国のグスク及び関連遺産群として世界文化遺産に登録されました。グスクにも山城がありま す。今帰仁城《なきじんぐすく》は琉球国が15世紀に三つに分裂した時の北の国の城です。薩摩藩に侵攻を受けて落城しました。もう一つ、岡山総社市に、鬼の城《きじょう》と呼ばれる大和朝廷から国の防衛のために築かれた古代山城があります。昭和61年（１９８６年）国の史跡「鬼城山」の指定を受けて、その名前から桃太郎伝説に出てきそうな鬼が島と錯覚しそうですので、観光に最近大注目されています。

山城の多くは主を失っても依然として主を守るが如く忠義忠節の塊のような石垣だけが残り、じっと佇んでいます。そういう風情に心ひかれる方が多いのでしょうね。

海城・水城と三大海城

山城が出ましたので、当然海城や水城と言われるお城もあります。ここではお濠が重要な役割を果たしています。お城の周りにぐるりと城郭を外敵から守るお堀かお濠が付いています。お濠には常に水が張られています。お堀は空掘りがあるように水がなくても良さそうです。お濠を泳いでいるのは大抵が鯉や鮒だと思います。それが鯛だったりすると驚きませんか。初めて見た時は「ええっ?」と吃驚でした。

香川の高松城はお濠に海水を引いていて、JR高松駅から玉藻公園を横切って入っていくと、そのお堀には鯛がうようよ泳いでいます。周りにはたい焼き屋の幟のような「鯛願城就」の旗がはためいています。餌を売っていますのでそれを投げてやると、我も我もと鯛が水面から山のように盛り上がります。ここでは鯛に餌を与えれば「鯛願城就」となる有難いお城です。思わず手を叩きたくなります。叩けば鯛は益々群がってくるというスペクタルな光景を一度味わってください。鯉ではなく鯛というのがなんとも嬉しくなります。高松城は柿本人麻呂が讃岐国の枕詞に

「玉藻よし」と詠んだことから玉藻城とも呼ばれていましたが、天守は廃城令で壊されてありません。このお城の中に建てられた香川県立ミュージアムに藤原佐理筆詩懐紙（書跡・典籍１２８）が所蔵されています。是非ともお出かけになり讃岐うどんを味わうだけでなく、鯛願城就も祈ってください。きっと間違いなく御利益がありますよ。

三大水城と言われているのは、高松城の他に今治城と中津城です。今治城は関ヶ原の戦いの戦功で伊予半国20万石を拝領した藤堂高虎が、瀬戸内海に面した海岸に築いた平城です。ここもお濠に海水が通じており、お濠には黒鯛やボラの回遊がうようよ見られますが、ここでは餌やりは禁止です。中津城は黒田官兵衛が築城し細川忠興が完成させた城で海の水が通っており、秋から冬にかけてボラが見られますし、ゴンズイの群れも確認出来るようです。勿論ここも釣りや餌やりは禁止です。

こうしてお城の楽しみは随所でどんどん広がります。

お城の色は白か黒か

お城の色は白か黒かに分けられます。それには理由があります。

姫路城は白、別名白鷺城、松本城は黒、別名烏城、松江城は黒、別名千鳥城、彦根城は白、犬山城は白、別名白帝城と色分けが出来ます。本格的な天守は織田信長が築いた安土城が第一号ですが、明智軍により焼失しましたので想像復元図からすると白い壁に黒漆の板張り壁の組み合わせ、天主は金色に赤い柱でした。その後継者の豊臣秀吉が天下統一の証として建てた大阪城からは、外壁は黒漆か柿渋か墨などを塗った黒板が主流です。今の大阪城は徳川になって白に塗り変えられましたが、秀吉が建てた頃は黒でした。「大阪夏の陣図屏風」を見ると大阪城は黒い城として描かれていますのでお確かめください。黒と白のお城と色の意味がお分かりになったと思います。流れとして、豊臣は黒、徳川は白の色分けになります。秀吉の家臣の加藤清正が52万石を家康から与えられても建てた熊本城は黒です。清正流と言われる6階建てに相当する攻略不可能な穴太衆の手による高石垣や重文の宇土櫓が残っています。西南戦争の際、西郷隆盛に「官軍に敗れたのではない、清正公に敗れたのだ」と言わしめた難攻不落の城です。でも清正も平成28年（２０１６年）丸２日に亘る震度６強と震度７の２度の熊本大地震では持ちこたえることは出来ませんでした。

宇喜多秀家の広島城、石川数正・康長親子が築いた松本城、堀尾忠晴が築いた松江城などは黒い城です。これに対抗して徳川家康は江戸城天守を漆喰で白く塗り、大名たちはこぞって白い城にしました。名古屋城、彦根城、姫路城、夏の陣で崩壊した大阪城を徳川が立て直した際は建造費も維持費も高い漆喰を使って白い城に塗り直し、豊臣政権の黒い城を否定し、徳川の世の到来を意図して見せています。ということでお城を見に行かれたら豊臣派か徳川派かは判別出来ます。でも一つ気になっていたのは家康の側近であった石川数正が建てた松本城が黒いのはどうしてか、徳川は白というのと違うじゃないかという点でした。令和５年（２０２３年）大河ドラマの『どうする家康』で分かりました。彼は太閤が天下人になったので、何度も徳川の使者として拝謁しているうちに太閤に天下人を実感してしまい、徳川家を出奔して豊臣家臣になりました。秀吉から松本に８万石を与えられことが分かりました。この時代はまだ主君を選ぶことも変えることも出来たのだと納得しました。

個人が所有してきた国宝犬山城

国宝犬山城（建造物44）は成瀬家個人の所有でした。元和３年（１６１７年）に尾張藩付家老成瀬正成が城主となり、初代犬山藩主となって江戸時代を通じ9代に亘り成瀬家の居城になりました。明治４年（１８７１年）廃藩置県に伴い廃城となって愛知県の所有となり天守以外は取り壊されました。明治６年（１８７３年）太政官達《だじょうかんたっし》「廃城令」が陸軍省に、「城郭取壊令」が大蔵省に出されてとどめを刺されました。ところが明治24年（１８９１年）濃尾地震の被害に遭い、その修復を条件に明治28年（１８９５年）愛知県から旧犬山藩主成瀬正肥に無償譲渡されました。その修理に９６００万円がかかりましたが、その半分は成瀬家が出し半分は城を愛する地元の人たちの寄付で賄われました。こうして再び成瀬家の所有になり平成16年（２００４年）27代当主成瀬正俊さんが亡くなり、個人所有では維持費の負

国宝犬山城天守に登って絶景を眺める

担に耐えられないことから、代々成瀬家が城主を務めてきましたが、犬山城白帝文庫を設立して財団所有に代わりました。

犬山城の天守には小さなベランダが付いています。廻縁と言いますが、そこから眺める木曽川周辺の景色は絶景です。木曽川にせり出すようにそそり立つ乾山の頂上に建つ犬山城と木曽川の情景は忘れえぬ一幅の水墨画になります。その美しさから白帝城と言われています。それは江戸時代の儒学者荻生徂徠が中国の唐代の詩人李白が長江流域にあった古城を詠んだ詩「早発白帝城」にちなんで名付けられました。

国宝如庵の前で 2009 年 8 月記念撮影

漢詩を読まれている人には、夕暮れの川のほとりの墨絵の中に浮かぶ犬山城は思わず、漢詩を口ずさみたくなる絶好の情景だと感じました。川の反対側から川越しに見る天守も絶壁に建つ凛々しき若武者のようで見惚れてしまいます。

天守内部は戦国時代の堅牢さと武骨さが勝っており、今にもサムライが出てきそうな雰囲気が嬉しくなります。天守への階段も全て60度ほどの急角度で40㎝ある段差は侵入した敵が一気に駆け上がれないようにしています。侵入者ではない我々にもかなりキツイ階段です。

そのお城の直下に訪問時の平成21年（２００９年）には名鉄犬山ホテルがありましたが、現在はホテルインディゴ犬山有楽苑に変わりました。その隣接にもう一つ国宝があります。織田信長の実弟織田有楽斎が江戸初期京都に建立した国宝　如庵（建造物３）を、三井家が買取り明治末に東京に移しました。東京空襲で類焼するのを避けるため昭和13年（１９３８年）三井家十代の三井高棟が大磯の別荘、城山荘に移しました。さらに昭和45年（１９７０年）三井家の手を離れ名古屋鉄道の所有となり、昭和47年（１９７２年）に現在の犬山に移築されてきました。隣は重文の旧正伝院書院がつながっており、閑静な庭を有楽苑と名付けています。如庵は外観はいつでも見られますが、月一度の内部公開も令和元年（２０１９年）から令和４年（２０２２年）のコロナ期間に保全修理工事を終え、再開されています。事前申込で抹茶の接待と入苑料込みで参加費用３５００円です。国宝を愛でながらのお茶会、どうぞ至福の気分を味わってください。

重文から国宝へ昇格した松江城

重文のお城8基のなかから、平成27年（2015年）松江城天守が国宝（建造物953）に指定されました。皆さんから「どうして松江城が今になって国宝になったの、決め手は何なの」とよく聞かれます。重文の時に行った際、「松江城を国宝に」という松江市民の熱意は確かに相当なものでした。松江市役所に松江城国宝推進室を設置して署名運動を続けてきました。

文化庁の判断の決め手は陳情や署名数でなく、学術的な新しい知見が大切なことを示しています。松江神社から発見された2枚の祈祷札が決め手でした。これも国宝の附になりました。お城完成当時に奉納された祈祷札の表面に記された慶長16年（1611年）は、築城年を特定する貴重な歴史的な史料と判断されました。松江市が500万円の懸賞金をかけて探していた熱意が実を結びました。松江神社で見つかった2枚の札が松江城の内部にあったことを証明するために松江城内の柱を虱潰しに調べた結果、地下一階の井戸の近くの2本の大黒柱の釘穴の位置と札の穴がぴったり一致したという「天は自ら助くる者を助く」というお目出度い結果です。

ここは堀尾家、京極家に次いで藩主になった松平家の７代藩主、松平治郷《はるさと》が茶人大名として有名で、号を不昧《ふまい》と称し、茶の湯の文化を花開かせました。集めた茶道具の目録は「雲州蔵帳《うんしゅうくらちょう》」と呼ばれています。また彼は、北前船で大儲けした大阪の竹田喜左衛門が所持していたのでその名がある国宝　井戸茶碗　銘喜左衛門（工芸品26）を金５５０両（約７５００万円）で購入しました。今は大徳寺孤篷庵の所蔵になっています。

また松江歴史館内の「喫茶きはる」の上生菓子は、現代の名工に選ばれた和菓子職人の伊丹二夫氏の腕前が冴え渡ります。逸品はわらび餅、本小倉、縁結びなどが定番で後は季節の移ろいに沿って創作がされ、これはまさしくアートです。ショーケースに飾られているお花も和菓子で作られていますので、本物と見間違えないでください。将棋の名人戦の際に注文した羽生十九世名人や王貞治元監督も大ファンです。ご本人による製造過程もご覧になれますので、松江城の天守を眺めながら是非ご賞味ください。

また松江と米子の間の安来市には足立美術館に見惚れるばかりの美しい庭園があ

ります。米国の日本庭園専門誌「ジャーナル・オブ・ジャパニーズ・ガーデニング」が、全国900ヶ所以上の名所旧跡を対象に実施した「2023年日本庭園ランキング」が令和5年（2023年）12月に発表され、足立美術館の日本庭園が「21年連続庭園日本一」に輝きました。外国人に評価され順位が付けられている点はちょっと気になっていましたが、我々が訪れた時も雪が降り積もった庭園は息を呑む美しさでしたので納得しました。発行編集人のダグラス・ロス氏は鎌倉で造園修業を終えアメリカで日本建築家として活動しているので造園審美眼は確かでしょう。ちなみに2位はずっと20年間桂離宮というのは頷けます。ミシュランが発行する旅行ガイド「ミシュラン・グリーンガイド・ジャポン」は日本全国の観光地などの魅力を星の数で評価していますが、平成21年（2009年）の第1回以来過去6回改訂版を重ねていますが、足立美術館はわざわざ旅行する価値がある最高位の評価三つ星に選定され続けています。

松江城は創建者の堀尾吉晴が秀吉に忠誠を示した黒いお城で、重箱造りの二重櫓の上に3階建ての望楼を載せた形になっています。一重目と二重目は黒漆の下見板張り、三重目と四重目と附櫓は上部を漆喰塗でその下半分以上を黒塗の下見板張りにしており、松本城にも負けない黒い威風を放っています。天守は外観４重、内部5階、穴倉1階で、そこには現存天守内部の中で唯一の井戸があります。天守の南には入口の守備を強固にするための鉄延べ板張りの大扉をもつ平屋の付櫓が特徴的です。内部は武骨な様相の桐の階段を上っていくと天守は３６０度見渡せる望楼式です。きらきら光る宍道湖が望め夕日が沈む頃は特に絶景です。またここでは内堀である堀川から遊覧船に乗って天守を見ることが出来ます。舟に乗って眺めるのは一味違って大名気分が味わえ、随時出発し50分間はのんびりと大名気分です。

松江城は元々湿地帯に建てられたので川や堀割が縦横に走っており、宍道湖《しんじこ》も淡水と海水の混ざり合う周囲47キロの汽水湖です。ここから見る夕日が美しいと日本夕陽１００選に選ばれているのは島根県立美術館の前浜辺りです。夕方まで待ちましたが、本当に夕日の絶景スポットでした。宍道湖といえば大ぶりのシジミですが、様々な魚介も美味しく、宍道湖七珍と呼ばれる郷土料理があります。勿論シジミの味噌汁、鯉の糸造り、モロゲエビの鬼殻焼き、白うおの卵とじ、アマサギ（ワカサギですが、今は宍道湖では獲れないようです）の照り焼き柳かけ、鰻のかば焼き、スズキの奉書焼きという殿様が頂いた風雅な7品です。

また小泉八雲（ラフカディオ・ハーン）が1年3ヶ月中学校と師範学校の英語教師として滞在しここで小泉セツと結婚して暮らした旧居があります。彼はその後熊本や神戸、最後は東京にも転居して日本には14年間住んでいましたが、松江には一番短い期間しか住んでいません。それでも最愛のセツさんを迎え、日本名を出雲国にかかる枕詞「八雲立つ」にちなんで付けたために、小泉八雲と言えば松江というイメージが出来上がったように思います。その旧居を訪れて八雲の気持ちは少し分りました。

やっぱり白すぎ城か姫路城

姫路城は平成21年（2009年）以来6年間と約24億円かけて約7万5千枚の瓦の吹き替え、約100トンの漆喰を塗り替えて平成の大修理を終えました。平成27年（2015年）に再び、白鷺城と言われる優美な姿を見せてくれました。白漆喰総塗籠造りで白壁はもとより、防火防水のために窓の格子や1枚1枚の瓦の継ぎ目まで分厚く平均3㎝の漆喰が塗られ、文字通り城全体が白く輝いて見えます。朝日

国宝姫路城天守絶景スポットの一つ西の丸の堀越に

新聞のコラムに「白い、白い、白すぎる。白鷺城でなくて白すぎ城」とのコメントに頷いてしまいました。それでも5年ぐらいで次第に元のお城の色に落ち着いてきました。日本の匠の技はここでも遺憾なく発揮されています。国宝では唯一25mの心柱が東西2本ストーンと立っています。直径が90cmですから樹齢600年ぐらいだそうです。昭和31年（1956年）から39年（1964年）の昭和の大修理では、釘を使わず材木で天守を造り上げる組み合わせの記号と番号が築城当時にキチンと突き合わせされていたことが確認されました。それを番付といいますが、パソコンがない時代に匠の途方もない正確さを期す緊張感が伝わってきます。

8年かけて慶長14年（1609年）に完成した城郭は現在のJR姫路駅までの広さがあったようです。今は山陽新幹線姫路駅から姫路城が見通せるように駅舎が改造されましたので、その広さが分かります。現存の櫓も31棟、門も21棟あり、そのうち、櫓《やぐら》27棟、門16棟、土塀32棟が重文です。まだ徳川の天下が固まった訳でなく、西国の大名が京都に上ってくることを食い止める戦いのための城として造営されました。従って天守への道は攻めるには難しい様々な仕掛けが施されています。天守には真っ直ぐには向かわせない、天守が見えなくなったり、天守を後ろにして進ませたり、上らなければいけないのに下り坂になったり、崩せば行き止まりに出来る半地下にしたり、方向感覚を失わせる厄介ならせん状に造られています。立ち止まればすぐに鉄砲や矢が飛んでくる、石が落ちてくる4850の狭間や石落しや武者隠しなどを備えている壮大な砦です。

一方で白鷺城には城主の美意識が結晶しており、どこから見ても優雅な美しいお城です。狭間にも○あり△あり□ありと現代アートの感覚のようです。一部が未完成の状態で、不完全な美、不揃いの美が見られます。お城の四隅の屋根は下から見上げると、天守に向かってジグザクして一直線には揃っておらず、乾天守の花頭窓には格子がはまっていません。完成したら途端に崩壊に向かってしまう、という言い伝えから、完成させずにおくという不滅の願いが込められています。国宝の日光東照宮の陽明門（建造物35）も同じ発想で、12本の柱のうち１本を逆さにして色は塗らず胡粉が塗られたままの白い柱があります。

建物は通常国宝として１件と数えられますが、壮大な姫路城だけは別格で国宝の数が５件もあります。姫路城は黒田官兵衛が幾度も戦った赤松氏の居城から始まり、豊臣秀吉の中国攻めの拠点や、関ヶ原の戦いの戦功から池田輝政に播磨の国52万石を与えました。西国の豊臣勢に睨みを効かせるために大増築した壮大な四つの天守が残っているからです。

城の形式が連立式天守閣で、外観５重内部６階地下１階になっている大天守（建造物11）を中心に、三つの方向、南西に外観３重内部３階地下２階の西小天守（建造物12）、北西（乾）に外観３重内部５階の乾小天守（建造物13）、北東に外観３重４階地下１階の東小天守（建造物14）を構えています。それらを渡り廊下のような櫓でつなぐ構成になっています。それら４棟をまとめてイ、ロ、ハ、ニの渡櫓（建造物15）と呼んでいます。どの雑誌や資料を見ても東小天守とイとロの櫓を下から見上げた写真がありません。何とか撮影しようと意気込んで出かけましたが、東小天守は絶壁の石垣と木々に囲まれており、外堀、内堀、曲輪内をぐるぐると廻り、姫路城内動物園の観覧車にも乗りましたが、ついに外からの姿をとらえることが出来ませんでした。ドローンでしか撮影出来ないでしょうね。

白鷺城と言われる姫路城と白鳥城と言われ、知名度は抜群のドイツ南部のノイシュバンシュタイン城と観光交流友好協定が平成27年（2015年）3月に締結されました。世界最大の旅行サイトのトリップアドバイザーが「死ぬまでに行きたい城」の1位と2位に選ばれたお城が手を組みました。当初友好協定締結の7年ほど前にバイエルン州が縁談を持ちかけましたが姫路市が格の違いを理由に受けませんでした。姫路城は17世紀初頭の建物で、国宝であり世界遺産ですが、ノイシュバンシュタイン城は19世紀後半の築城で、ルートヴィヒ2世の趣味的な建造物であったために、普遍的な価値を認める世界遺産の理念とは少し違っていると、世界遺産の登録の見通しが立っていないとして丁重にお断りしました。このたびは姫路市側が

「観光振興」をテーマに逆提案してようやく友好協定締結の運びとなりました。

ちなみに、世界最大規模の旅行サイト「トリップアドバイザー」による「死ぬまでに行きたい世界の名城」の１位はノイシュバンシュタイン城、２位姫路城、３位は中国北京の紫禁城、４位はインドのタージ・マハル、５位が英国のダノター城です。５位は日本では知名度も低いのですが、英国アバディーンの南にあるストーンヘイヴェンという町にある12世紀建築のお城で現在は廃墟になっている城跡です。海に面した岩場に立っており、映画『ハムレット』の舞台として使われたことから欧米人の人気は高いのだと思います。でもノイシュバンシュタイン城同様に世界遺産になっていないのに観光としては際立って人を呼び寄せています。姫路城の入場者はコロナ以前年間１８０万人、ノイシュバンシュタイン城は１６０万人ほどでその１割は日本人だそうです。しかし何と言っても紫禁城の年間１４００万人には遠く及びません。

白鷺城はどこから見ても美しいと思いますが、特に３つのスポットが格別です。三の丸広場からの姫路城、二の丸の塀越しからの姫路城、正面昇閣口から入り菱の門出てすぐ三国堀から見た姫路城、いずれも絵葉書のような絶景スポットです。お城の中にある動物園の観覧車に乗って少し高い位置から姫路城を見るのも絶景だと思い挑戦しましたが、姫路城の2層ぐらいの高さでお城を上から見る期待の構図ではありませんでした。

姫路城の銘菓を紹介します。11代将軍徳川家斉の娘と姫路城主酒井忠学との婚礼を祝って作られ、家老が命名して藩の御用菓子となり今は皇室御用達にもなっている姫路城の銘菓があります。皮を椿の花びらに、黄味餡をめしべおしべに見立てた、「玉椿」は奥床しく高尚な味わいはお茶受けに最高です。

彦根城は唯一始めから終りまで井伊家のお城

彦根城は金亀山《こんき》にあるから別名金亀城ですが、重文の松山城も同じ漢字で金亀山《きんき》にあるから別名金亀城です。3重3階地下1階の天守と附櫓及び多聞櫓の3棟併せて国宝（建造物45）です。彦根城の築城は関ヶ原の戦い直後の慶長9年（1604年）に、天下普請として尾張藩や越前藩など7ヶ国12大名も手伝いを命じられました。引き続き入城した井伊直継・直孝親子が慶長12年（1607年）に成し遂げま

国宝彦根城の天守の華麗な18の破風は見所

した。豊臣家との戦さに備えて急ぐ必要があり、豊臣方石田三成の居城の佐和山城や安土城から部材を調達したことが分かっています。国宝の中で唯一井伊家が城主であり続けた稀有なお城です。

お城の美しさは天守とそれを取り巻く破風の組み合わせだと思います。国宝の中でも彦根城は破風の形に凝りに凝って、遠くから見た時に存在感を際立たせています。1重目には大きな切妻入母屋破風に千鳥破風、窓は格子窓、2重目は軒唐破風に入母屋破風、窓は華頭窓、3重目は入母屋の屋根に金色の飾り留め金具が輝く唐破風を付けており、窓は花頭窓を配しています。さらに3重目には高欄付きの廻り縁を四隅に付けています。白い壁に破風の黒漆が映えて締りを与え、その上黒漆に金色の金具の組み合わせが絶妙な美意識を感じさせます。破風の数で言えば5重6階地下1階の姫路城大天守が18、3重3階地下1階の彦根城が同じく18、5重6階の松本城が7つ、4重5階地下1階の松江城が6つ、3重4階地下2階の犬山城は5つ、小さいながら如何に彦根城が凝りに凝った造りをしているかお分かりになると思います。また時代劇のお城のシーンには、重文の天秤櫓とそれに架かる高さ16m幅5mの廊下橋、重文の太鼓門櫓などがよく使われます。ああここか、ここだったのかと色々な場面が思い当たると思います。以前は「水戸黄門」や「暴れん坊将軍」のロケ地としては常連でしたし、平成27年（2015年）のNHKのBS時代劇浅田次郎作「一路」、平成28年（2016年）の映画「超高速　参勤交代リターンズ」、平成31年（2019年）の映画「引っ越し大名」にも登場しました。時代劇でお城のシーンが出てきたら気をつけてみてください。

明治に入り、彦根城は取り壊される寸前に早稲田大学の創始者、大隈重信のお陰で救われました。明治11年（1878年）大隈は明治天皇の巡幸に随行して彦根の視察に出かけました。その時に工事の足場も組まれ明日から天守閣の解体が始まるというタイミングでした。大隈は名城が取り壊されるのを惜しみ、現在の知事に当たる県令に掛け合い工事を差し止めさせました。その足で天皇の在所に出向き、特旨を得て永久保存に決まりました。今も我々が彦根城天守閣の重厚な絶景を見られるのは大隈重信のお陰です。昇閣すれば天守からの琵琶湖の眺めも雄大な絶景です。

彦根城に行かれたら是非立ち寄り頂きたいのは表門登城口の右側にある彦根城博物館です。ここに彦根屏風といわれる六曲一隻の国宝の風俗図屏風（絵画１１１）があります。この屏風は嬉しいことにフラッシュをたかなければ撮影が可能です。「思う存分撮ってください」と案内が出ていたと思います。但し、紙質を保存するために照明は若干暗めですので、なかなか思うように鮮明には撮れないかもしれません。国宝の絵画が撮影出来るのは稀なケースですので高感度カメラで是非トライしてください。

彦根城の銘菓は「埋れ木」です。井伊直弼公の修養時代の侘び住まい埋木舎《うもれぎのや》に因んで命名されています。外見は上品な色合いの姫路の「玉椿」は赤、彦根の「埋れ木」は緑と好対照です。

松本城はまさしく烏城

松本城は信濃の名家小笠原一族によって築かれた深志城が元になっています。天守、乾小天守、渡櫓は文禄3年（1594年）秀吉の命令で江戸にいる家康への押えとしての松本藩の城が造られました。秀吉から8万石を与えられた石川数正・康長親子が守るための工夫を至る所にしています。115の狭間や堀の水際の底に焼いた杭が6万本も、これは26mの距離に427本の実物が発掘された数字に基づいての推定ですが、打ち込まれています。また当時の鉄砲の射程距離55mを計算に入れた60mの堀の幅にしてあります。白鷺城とは反対に烏城と呼ばれている松本城の黒は豊臣方を象徴しており、黒漆を塗り込めている姿が冬の日本アルプスの白い山々に映えて美しく輝きます。

松本城天守（建造物40）は、5重6階の大天守、3重4階の乾小天守、渡櫓、辰巳附櫓、月見櫓を併せて国宝としており、それらを連結して連結複合式天守と呼ばれています。松本市は景観保護とお城の存在感保持のために石垣含めた高さ29・

松本城の北にある国宝旧開智学校校舎の前で

4mの天守の周りには高い建物は造らせない、建築物の高さ制限を導入しています。お城からの距離によって15m〜20mの高さ制限があり、そのお陰でいつも北アルプスの山々をバックに華麗な姿を見せてくれます。天守からの眺めも思わず「きれいね」と沢山の女性客から声が出ます。

私は迫力満点の黒漆塗りの下見板張りの黒い大天守も好きですが、何と言ってもお城には珍しい朱漆の赤い欄干が付いている月見櫓が好きです。その小粋さ加減は徳川繁栄期に入り武骨さから抜け出す平和な時代の産物を見つけて嬉しくなります。入口に向かって突き出した形の月見櫓は松平直政の時代寛永11年（１６３４年）に、辰巳櫓とともに増設されたものです。この月見櫓には狭間は設けられていません。三方の舞良《まいら》戸《ど》を外すと吹き抜けになります。松平直政は家康の孫で、もはや戦いへの備えは必要なくなったからです。この直政はなんと5年間の信濃松本藩主のあとに出雲松江藩主となり28年間城主を努めました。勿論本人の知るところではありませんが、両方の国宝の城主になっているのは驚きです。こういう城主がいたのですね。

名前の通り毎年9月23日〜28日「月見の宴」が催されます。一度ここから酒を嗜みながら、横笛の音色を聞きながら、月を愛でたいと思いませんか。隣に美女が侍《はべ》るという戦国武将の姿を思い浮かべれば、良いですねぇ。良いですねぇ。

ついでに松本城の真北に歩いて10分程度の距離に明治9年（１８７６年）に建設された国宝の旧開智学校校舎（建造物２３９）がありますので、二つの国宝を見られることをお勧めします。１００年前のスペイン風邪の対策に、手洗いとうがいを励行し常にマスクをすることと標語が教室に貼ってあるのは、今と変わらないじゃないかと妙に進歩がないなあと思って帰ってきました。

名城も焼失して幻の城に

「尾張名古屋は城で持つ」と伊勢音頭で歌われた名古屋城は戦前国宝でしたが空襲で焼失してしまいました。私の祖父や叔母は自宅から炎上している名古屋城を見て戦争に負けたのだと確信したそうです。まさしく白虎隊が、会津若松城が燃えているのを見て官軍に敗れたのだと早まって自決したのと同じ思いです。やはりお城には頼りにする存在感があるということです。

江戸城は、室町時代に関東に下向し鎌倉の扇谷に居を構えた上杉家の血筋である扇谷上杉家の家宰であった太田道灌が築いた城で、元々は江戸湾の一番奥の日比谷入り江の台地に立てられた海上交通の要所の城でした。その後徳川家康が江戸幕府を開いて広大な城郭を造成しました。江戸城には今は内堀通りや外堀通りになっていますが堀を回し、皇居を取り巻く広大な城郭で、皇居は江戸城の中心部分にすぎません。別名千代田城であることはご存知だと思います。その理由は代々将軍のお世継ぎの幼名を竹千代としていたからです。江戸城の見所は、各大名が石垣に残した刻印の紋所や赤穂浪士忠臣蔵は現実に起こった話だったのだと気付かせてくれる殿中刀傷事件の「松之大廊下跡」の碑が立っています。江戸城にも天守がありましたが、明暦3年（1657年）の大火で焼失しています。

伏見城も残っていれば国宝でしょう。伏見城は三つあります。秀吉が文禄3年（1594年）に完成させ入城したのが指月城ですが、文禄5年（1596年）の慶長大地震で倒壊しました。直後の慶長2年（1597年）にまたも北東約1㎞の木幡山に再建したのが木幡城です。何と言っても豊臣期の伏見城は豪華絢爛な様式であったと伝えられています。秀吉はこの城内で「夢のまた夢」と辞世の句を残して慶長3年（1598年）に没しました。秀吉の死後秀頼は大阪城に移り、家康がここで政務を執りました。これも関ヶ原の戦いの際に家康に見込まれて城代鳥居元忠自ら捨て石になって大阪からの西軍を食いとめようとしました。4万の多勢に800人の無勢、13日間で炎上してしまいました。さらに家康が慶長7年（1602年）に再度築城しました。ここで家康、秀忠、家光までの征夷大将軍の宣下を受けています。しかし時代の重心は江戸に移り、元和5年（1619年）一国一城令のもとに廃城となりました。これら三つを合わせて伏見城と総称されています。城跡からは秀吉の趣味の金箔を施した瓦とか、五七の桐文が描かれた瓦が発見されています。現在は昭和39年（１９６４年）近鉄が遊園地の一部として５重６階の模擬大天守と３重４階の模擬小天守を当時６億円かけて復元しました。その後平成15年（２００３年）閉園となり京都市に寄贈されました。残念ながら耐震基準を満たしておらず、現在昇閣は禁止されています。改修には数億円かかりますので、登城計画は進んでいません。それでも地元の皆さんが毎年11月「伏見・お城まつり」を開催していますので、ＲＥＩＴにして皆さんで伏見城を一口個人所有することにしたらどうですかね。城主の証明書と城主の気分を味わえるなら参加される人も多いのではないでしょうか。

第3章

健脚が鍛えられる国宝
命懸けの国宝

Q24 健脚が鍛えられる国宝ってあるのですか?

国宝級の建物が「地震、雷、火事、親父」じゃなくて、台風や戦乱に巻き込まれて倒壊焼失した建築物も沢山あります。従って現存する国宝は案外と歩いて登らないと辿りつけない辺鄙な場所に残っている建造物が数多くあります。そこには健康・健脚でないと見に行けない、さらには健脚を鍛えられる国宝の建造物があります。健康な方は元気なうちにどうぞ行ってみてください。そこには、得も言われぬ感動が待っていますし、素晴らしい景観や絶景に出会います。

1時間や2時間の山登りを覚悟しないと見に行かれない国宝は数多くありますが、ゆるやかで足腰に負担は余りかからない、時間をかければ大丈夫と判断出来るところからどうぞ挑戦してください。膝が悪い我が女房殿には無理をしないで行ける国宝を選んでいます。決して無理はなされずマイペースでお出かけください。そうした寺院や神社は伽藍を追いながら山道の階段を上っていく場合が多いのです。その一端をご紹介します。

中尊寺金色堂（建造物1）、標高130mにある中尊寺の参道を伊達藩が植えた杉並木の山道を上ります。最初はゆるやかな月見坂を上ると程なく弁慶堂に着きます。ちなみに義経堂はここにはなく坂から下を見れば左下方向の高館にあります。平泉の栄華と義経と弁慶の悲運に思いをはせる絶好の場所です。同じ坂道を元禄2年（1689年）芭蕉も同じ思いをはせながら上ったと思いますので、到着したら「五月雨《さみだれ》の降りのこしてや光堂」に負けない句を吟じてください。金色堂の手前に中尊寺の文化財を保管し展示する讃衡蔵《さんこうぞう》があります。ここに国宝の中尊寺金色堂内具（工芸品219）があり、その一つとして金色堂に吊るされていた銅鍍金した荘厳具である金銅華鬘《こんどうけまん》があります。極楽に咲く花の宝相華《ほうそうげ》と人面鳥を施して浄土世界を描いています。もう一つの国宝は紺紙著色金光明最勝王経金字宝塔曼荼羅図10幀《とう》（絵画155）で紺紙に金泥で金光明最勝王経を九重塔の形に細字で写経をしたもので、遠目に見ると九重塔に見え近寄ると写経であることが分かります。これの讃衡蔵を過ぎたところで参道から左に入ると見えるのが金色堂です。でもそれは昭和40年（1965年）建設の鉄筋コンクリート製の覆堂です。芭蕉も、正応元年（1288年）には鎌倉幕府第6代お飾り宮将軍惟康親王の命令で外側からすっぽり包む形で覆堂が建設されていますので、降り残してや覆堂を見たと思います。栄えある国宝建造物第1号の金色堂は奥州藤原氏の初代藤原清衡が天治元年（1124年）に建立したもので、平等院鳳凰堂と並んで平安時代の浄土教建築の代表作です。今は覆堂内にあり、ガラスケースに収められて外気と遮断されています。初代清衡、毛越寺を造営した2代基衡、義経を平泉に招き入れた3代秀衡、そして4代泰衡のミイラになった御遺体は金色の棺に納められ、金色堂の須弥壇に安置されています。金色堂堂内で金色に輝いておられる諸像及び天蓋（彫刻126）は一括して国宝です。中央壇、右壇、左壇の3壇に阿弥陀如来坐像、観音菩薩立像、勢至菩薩立像の三尊像を中心に、左右に3躯ずつ六地蔵菩薩立像、壇の手前に持国天と増長天が配置され、計11躯で構成される仏像群像が3対並んでいます。尚、右壇、左壇はご本尊から見ての位置ですので、我々拝観者からの視点では向かって左が右壇、向かって右が左壇です。右壇の阿弥陀如来像と増長天は盗難に遭いなくなっています。只、今も立っておわすのは後世の補作で国宝からは外されています。芭蕉が見た覆堂は現在重文として金色堂の裏手に残されています。中に入って芭蕉も薄暗い中で金色堂を見たのだと実感頂けます。

中尊寺金色堂の御本尊阿弥陀如来にちなんで脱線します。「阿弥陀くじ」の始まりです。阿弥陀様の光背に後光が射していますがその形、真中から外に向かって放射状に出ていく線を人数分だけ引いてくじにしたのが由来です。「阿弥陀被り」は帽子の前を上げて斜めに傾けて被る方法を指しますが、それは阿弥陀様の光背の後光を帽子に見立てその形から付いた名称です。

鞍馬寺への山道も標高４１０ｍの本堂まで九十九折《つづらおり》参道を上るか、ケーブルカーで多宝堂まで登るか、私は当然ケーブルカーを使いましたが、そこからでも急な階段をジグザグ上がります。階段を登りきると本殿の金堂の目の前にある六芒星《ろくぼうせい》の石畳、鞍馬寺で最強のパワースポット金剛床が待っています。本堂から左手方向奥の院参道に向かうと、源義経若かりし牛若丸が修行に励んだ山道です。天狗が出てきてもおかしくない空気が現在も漂っていることが確認出来ます。そこは木の根道と呼ばれ木の根が至るところで張り出し道をのたうっています。奥の院参道の入口に霊宝殿があります。そこで国宝が2件見られます。栃の木の白木の一木彫りで、右手に鉾《げき》を持ち、左手を目の上にかざして遠くの京都を見下ろす豊満な顔立ちの国宝毘沙門天立像及び吉祥天立像、善膩師童子立像（彫刻49）です。北方鎮護の姿を現した毘沙門天は170㎝ありますが、両脇は妃の吉祥天女立像と二人の子供の善膩師童子立像は半分ぐらい100㎝の可愛さです。この遠見の仕草をした仏像は他の国宝にはありません。その仕草に霊力を感じます。平安遷都の頃、北方から押し寄せてくる邪気を食い止め、都を守るために京の北に位置し霊験あらたかな鞍馬山に北方の守り神である毘沙門天を祀ったのが鞍馬寺の始まりです。逞しい体には重そうな厚い甲冑をまとい、右手に槍を持ち左手を額の上にかざし、遥か彼方を見据えたその風貌の眉間に深い皺が寄り、厳しい眼差しは威厳があり、すさまじい威圧感を発し続けており、我々を圧倒します。

もう一つ、鞍馬寺経塚出土遺物一括（考古資料19）は鞍馬寺本堂の裏山の経塚から出土した遺物で、時代が平安から鎌倉まで140年の長きに亘って経塚として使われてきたのは稀有な例です。昭和6年（1931年）鞍馬寺経塚の発掘が始まり、200点以上の出土品が出ました。いずれも平安時代後期から鎌倉時代の作です。経巻残塊が入った銅経筒には保安元年（1120年）の銘が、もう一つの銅経筒残闕には治承3年（1179年）の銘が、銅板扉には文応元年（1260年）の銘が刻まれており、140年余に亘り経塚が続いてきたのには鞍馬寺の隆盛が感じられます。その他石製宝塔、青銅宝塔、鉄製宝塔、金銅経筒、青銅宝幢形経筒、金銅三尊仏、及び奈良時代に作られた金銅板打出菩薩像残欠が出てきました。一部が常時展示されています。

京都高雄にある神護寺と高山寺、ここは晩秋には全山紅葉の景観を愛でながら登ってゆくと自分たちも紅葉の赤に染まってしまいそうになります。神護寺は天皇の血筋を守った功績を持つ和気清麻呂の私寺です。称徳天皇の信任が厚かった僧道鏡は八幡大菩薩より「皇位を継げば天下泰平」とお告げがあったと奏上しました。称徳天皇は神意を再確認すべく、神護景雲3年（769年）和気清麻呂を八幡大菩薩が鎮座する九州の宇佐八幡宮へ派遣しました。宇佐から戻った清麻呂は「宇佐八幡は、臣下の者が皇位に就くことを望んでいない」と奏上しました。これが道鏡の怒りにふれ流罪となってしまいました。天皇家を守ったとして皇居東御苑平川橋の近く、地下鉄竹橋の出口の大手濠緑地に銅像が立っています。

神護寺は春季御開帳、秋季御開帳各3日間、寺宝虫払行事5日間の年3回国宝の展示が行われます。あの楽ではない階段山道を上って既に6回は出かけたと思います。そこから神護寺の国宝9件をご紹介します。展示される作品は御開帳の半年前ぐらいに発表されますので確かめてからお出かけください。

金堂の厨子に安置されている薬師如来立像（彫刻2）、薬師如来の中では肉厚でボリューム感があり、頭の螺髪も大きく弥勒菩薩かと見間違えてしまいます。只、左手にお約束の薬壺をもって右手の施無印と同じ高さに掲げていますので見分けが付きます。唇にうっすら朱が入っているのも見逃がせないポイントです。衣は丸い波と角の波を交互に彫ってさざ波が立ったように表現する翻波式《ほんぱ》で、１７０㎝の豊かな体躯を包むには相応しいと思います。

多宝塔に安置の五大虚空蔵菩薩坐像（彫刻28）は金剛界の五智如来の変化仏で今は横並び一直線に並んでいますが、元は中尊に白色の法界虚空蔵、東に黄色の尊金剛、南に緑色の尊宝光、西に赤色の尊蓮華、北に黒色の尊業用虚空蔵が取り巻く配置だったようです。ともに色はかなり褪せていて言われなければ違いが分からないほどに褪色しています。願いは富貴成就、天変消除を聞き届けて頂けるそうです。特徴的なのは、5体ともには像高90㎝ほどで姿はよく似ていますが、それぞれが頭の宝冠、首などからの装身具の瓔珞《ようらく》、左手に悟りの障害となる三毒を打ち砕く柄の長い三鈷鉤《さんここう》を持ち、右手には法界は輪印を結び、独鈷杵《とっこしょ》、火炎宝珠、蓮華、羯磨《かつま》を持ち、少しずつ異なっています。

紫綾金銀泥絵両界曼荼羅図　通称高雄曼荼羅（絵画１０３）は天長年間（８２４年から８３４年の間）に勅命で制作されました。胎蔵界と金剛界の曼荼羅を花と鳳凰を組み合わせた模様を織りこんだ紫色に染めた綾地に、金泥と銀泥だけで描いています。平成28年（２０１６年）から６年かけて令和５年（２０２３年）に２３０年ぶりに汚れを落とし絹の補修をする大修理が完了しました。奈良博で令和６年（２０２４年）４月13日から胎蔵界、５月14日から６月９日まで金剛界が公開されました。

釈迦如来像（絵画45）は縦１５９cm横86cmの絹布に、釈迦を７重の蓮台上で結跏《けっかい》趺坐《ふざ》する姿を大きく描いており、赤の着衣を着せて、赤釈迦の俗称で親しまれています。白い体も流れるような朱線でかたどられ、着衣にはあでやかな截金《きりがね》文様を施しています。平安時代末期12世紀の装飾性豊かな釈迦像です。

伝源頼朝像（絵画14―１）・伝平重盛像（絵画14―２）・伝藤原光能像（絵画14―３）は日本絵画の最高傑作の最初にあがる傑作です。皆さんが教科書で見た覚えがある絵ですが、国宝分散保存の観点から伝藤原光能像は東博に寄託されています。その中でも私が国宝の絵画166件の中で国宝中の国宝と思っているのは伝源頼朝像です。

束帯姿で太刀を帯び、上げ畳の上に座す各像は、単純明快でゆるぎない存在感を放っています。作者は似絵の名手、藤原隆信と言われており、鎌倉時代初期の作品です。いずれもこの肖像画の魅力は、彩色のグラデーションを付けて、顔の部分は発色効果を高める裏彩色を用いています。端正な面持ちで、見る者を圧倒するような神々しさを備えています。なんといっても皆さんには、遠目の印象では真っ黒な衣装、束帯をよ〜く見て頂きたいものです。真っ黒な中にキチンと丁寧に黒で唐草模様が書き込まれていて、単色の黒に華やかで豊かな盛り上がりを感じさせてくれます。ざっと見ていては気付かないところにも筆者の緊張感と隅々までないがしろにしない仕事ぶりを感じることが出来ます。見つけたらウーン、凄いと唸る瞬間です。

源頼朝像には明治の作品にそっくりの重文があります。安田靫彦《ゆきひこ》の「黄瀬川陣」の源頼朝像です。緊張感のある兄弟の対面を描いていますが、我々はその後の運命を知っているからでしょうが、兄弟の運命さえ予感させる二人の表情が見て取れる傑作です。それ以上に頼朝像があの神護寺の頼朝像にそっくりの緻密な髪の毛や髭の一本一本が描き込んであります。迷いのない美しい線や透明感に感動を覚えます。

日本では三像の中で、強い意志と剛健さが感じられる伝源頼朝像の評価が高いのですが、実はヨーロッパで評価が高かったのは、伝平重盛像です。フランスの作家アンドレ・マルローが文化相の時に世界最高の肖像画と絶賛し、なんと、ルーブル美術館に展示されたのです。伝平重盛像と交換条件で日本に昭和39年（１９６４年）来日したのがルーブル美術館の至宝、『ミロのヴィーナス』でしたから、この二つは同じ価値があるということに看做《みな》された訳です。ちなみに、『ミロのヴィーナス』がフランス国外に出たのはこれ一度きりです。日本で『ミロのヴィーナス』が見られたのはこの伝平重盛像のお陰です。

今科学的な研究が進められて源頼朝でなく足利尊氏の弟、直義ではないかとの指摘があります。従って伝源頼朝像となっていますが、凛とした風貌と堂々たる姿勢からして源頼朝が相応しいと思います。こういう人が天下を統一して武家の幕府を創設したと思いたいのは庶民の気持ちで、私もそれで良いのでは、と思っています。

山水《せんずい》屏風（絵画144）は真言宗の秘法を伝える灌頂《かんじょう》に調度品として使われる屏風です。屏風そのものが貴族の邸宅で使われる調度品として発達し、それが邸宅で祈祷が行われる際に使われ、それが寺院でも使われるようになった変遷だと思われます。従って全く宗教色はなく、秋の山野の景観に人物や風物を描き込んだ典型様式で大和絵の特長を伝える傑作屏風です。ちなみに山水を「さんすい」とは読まず「せんずい」と読むのは、灌頂の儀式が唐からの伝来なので唐絵の影響を受けたようです。

梵鐘（工芸品50）は貞観17年（875年）に造られて以来、神護寺の鐘楼に吊り下がっていますが、残念ながら撞かれて音色を聞くことも、近くで見る機会もありません。実際にこの目で銘文などを確認したいのですがね。銘文に「貞観十七年八月二十三日冶工志我部海継以銅千五百斤令鋳成、橘広相之詞、菅原是善銘、藤原敏行書在銘」とあり、紀年、冶工、重量、詞及び銘の選者、筆者などを記され、「三絶の鐘」と称して名高いものです。三絶とは、銘文に銘文の序が橘広相《ひろみ》、本文が菅原道真の父菅原是善の選、揮毫が藤原敏行の書という、当代一流の名家3人の手になることから来ています。23年間非公開ですが神護寺に何とか梵鐘の拝観が出来るようにお願いしたいと思います。
灌頂歴名《かんじょうれきめい》　附　後宇多天皇宸翰施入状（古文書47）は弘法大師38歳の時に神護寺の前身高雄山寺で伝法・授戒・結縁などの時、水を頭に注ぐ儀式、潅頂を授けた時の人名を列記したものです。当時の僧の序列を心覚えのために書き流した書です。字体は自由闊達ながらも威風堂々としており、高貴な書風も知ることが出来ます。その書体や書き方に空海の人間味が出ていて、楽しくなります。畏まった教科書のような字体ではなく、間違ったら黒々と間違いを訂正したり、字の上になぞったり、我々がよく間違えて書き直すような人間臭さが見えます。ぐっと空海が近くなったような気がする国宝です。序列の最初に最澄を置くなどはお互いに張り合いながらも尊敬をしていることがよく分かります。
文覚四十五箇条起請文　後白河天皇宸翰御手印御跋（古文書46）は神護寺の中興を果たした文覚上人が、元暦2年（１１８５年）正月19日に定めた四十五箇条にわたる起請文です。内大臣藤原忠親が筆を執った全19枚からなり、最初の6枚で後白河法皇や源頼朝の助けによって神護寺が復興した経緯を述べ、7枚目以降に、「寺僧は一味同心の事」より始めて、専学修業、寺務の厳格、寺領の維持経営など神護寺の僧が遵守すべき規律を、事細かく列記しています。注目すべきは、巻首と巻末に後白河法皇自ら掌に朱を付けて押された御手印があり、巻末には5行にわたり法皇の宸翰が添えられています。文覚上人はこの起請文の権威付けに後白河法皇の御手印を要請したようです。

神護寺からさらに奥に直線で1・2km入り山道を25分ほど歩けば高山寺に到達します。高山寺では臨済宗の開祖栄西禅師が宋から持ち帰り、高山寺開祖の明恵上人に伝え、禅僧の眠気を覚ます効果があると植えた日本最古の茶畑「日本最古之茶園」を見るのも楽しみです。ここはデュークエイセスのヒット曲『女ひとり』にも出てきます。この茶畑の手前右手に拝観受付の付いた建物が国宝石水院（建造物1221）です。そこは建永元年（1206年）後鳥羽上皇から寺領を授かり開山した明恵上人の住居だった建物です。石水院は鎌倉時代前期の建築で、後鳥羽上皇より学問所と「日出先照高山之寺」と書かれた勅額を賜り「日出て先ず照らす高山の寺」という意味から高山寺の名前の由来となりました。それが石水院に掲げられています。入母屋造りで柿葺、正面を五間、側面は四間、正面に一間の向拝が付けられ拝殿風となっていますので、ここに五つの神社が祀られていたことから五所堂とも呼ばれています。部屋の周りには軒を正面全長に亘って庇《ひさし》状に張り出した通り庇を付けています。当初は仏典や経典の収蔵庫として使われていたのですが、後に明恵上人の住房用として寝殿造り風に改築されたと考えられています。建物の外周に壁は少なく、上端を吊り上げて、屋外側へ上に跳ね上げて水平に開く形式の蔀戸《しとみど》を付けています。それにより室内から庭全体を見渡すことが出来、石燈籠や石畳に苔や樹木の配置がすばらしく室内から眺めることを意図されていたと考えられます。板の間の中央に善財童子がぽつんと置かれて遊んでいますが、吹き抜けで開放的な部屋は寒かったんじゃないかと心配しました。庇の間をぐるりと回って奥に進むと、南縁の毛氈《もうせん》の引かれた部屋に鳥獣人物戯画と掛軸の明恵上人樹上図のレプリカ2件が置かれています。まずは静かな林間の雰囲気の中で座禅をされている私の好きな高僧明恵上人の掛軸の傑作をご紹介します。この絵は孫や子供たちと見ながら楽しいクイズが出来ます。子供たちに国宝　明恵上人像（絵画57）を見せて、リスが何匹、鳥が数羽描かれているかを探し出す遊びをしています。樹上で座禅を組む明恵上人の周りは木々が生い茂っており探し出すのは簡単ではありませんが、こうして動物を探す遊びも子供たちに国宝の楽しさを教えることになると思います。

明恵上人は最晩年高山寺で修業され、後ろの山の中に縄床樹《じょうじょうじゅ》と定心石と名付けた2ヶ所を修法のために選び定めました。その上人が坐禅をされた場所、華宮殿や縄《じょう》床樹《しょうじゅ》の石碑が山の奥に残っています。華宮殿の西に二股に分かれた一株の松を縄床樹と名付け、常々そこで坐禅したということです。この国宝の絵画も縄床樹に座る明恵を描いています。明恵の弟子、恵日坊成忍《じょうにん》の筆によるもので明恵上人の日常を生き生きと描いています。リスは1匹明恵上人の座禅の樹の上に、鳥は右手に10羽見つかると思います。

漫画のルーツ鳥獣戯画

高山寺に来たら、何といっても鳥獣人物戯画（絵画46）でしょう。皆さんもよくご存知の通り、動物を擬人化した世界に誇るコミック漫画のルーツです。甲乙丙丁4巻からなる絵巻物です。各巻縦31㎝前後、全長10m前後で併せて40mになる絵巻物です。平安時代に作られた甲巻は兎と蛙と猿がユーモラスな仕草で擬人化されており、乙巻は獅子、虎、象など実在の動物と麒麟や龍や背中に甲羅のある一角獣など空想上の動物を合わせた動物図譜として描かれています。鎌倉時代に制作された丙巻は甲乙巻には登場しない人が動物と勝負事に熱中している姿が描かれています。丁巻は逆に動物の姿はなく、人間の姿のみ簡略な筆遣いで描かれています。中でも皆さんが大好きな甲巻が傑作中の傑作、白眉で、動物たちの遊戯を躍動感溢れる筆致で描き出しています。蛙と兎と猿が同じ大きさで繰り広げる遊びや日常生活はユーモアたっぷりで、見始めたらなかなか動けません。博物館で展示があると決まってここで大渋滞が発生します。甲巻の袈裟を着た僧形の猿が本尊に扮した蛙の前で読経する風刺的な絵から、望遠レンズで覗いているかのような川遊びで、兎が鼻をつまんでダイビングしたり、鹿に跨って川を渡りきったりしています。また相撲に勝った蛙が「オー」と雄叫びを上げる場面や笹を持って兎が猿を追いかけっこしている場面があり、兎が的当てしている場面は右から左にカメラを振って写しているような弓矢の場面は有名です。甕《かめ》を結わえた棹を担ぐ兎と蛙、箱を担いだ兎と蛙、箱の中に興味深々な兎、それぞれに恰好が重たそうだったり、鼻歌まじりだったり、目立たないところにまで可愛さと楽しさが詰まっています。全く見飽きません。筆者は天台座主も務めた鳥羽僧正覚猷《かくゆう》と言われていますが、甲乙巻と丙丁巻は時代も作風も違いますから、複数の作者がいたのでしょう。甲巻の動物たちの饒舌な会話が聞こえてきそうな、生き生きとした姿を如何にも簡単そうにスラスラと一本の筆で描いている鳥羽僧正の腕前には感服します。動物を思う筆者の感性と想像力の壮大さと逞しさが見る側の胸を熱くしてくれます。

平成21年（２００９年）から4年をかけて全面的に修理復元され、33年振りに全巻展示されるということで平成26年（２０１４年）秋に京博に出かけました。連日の長蛇の列は2時間外で並び中に入って絵巻を目の前で見るまでにさらに1時間半の忍耐の行列だったことを今でも思い出します。それでも修理の際に甲巻の中盤と後半の絵の順序が入れ替わっていたことが発見され元通りに戻されました。それは絵を1枚1枚分離して裏打ち紙を剥がして透視光で調べた結果、刷毛跡のつながりで判明したそうです。そうした地道な気の遠くなるような作業を思えば長時間並ぶことも致し方ないかと思います。でも京都の老夫婦が「この混みようでは、今回が最後の見納めとしようかな」と話されていたのは印象的でした。

さらに高山寺にはもう一つ双璧をなすと言われる国宝の絵巻があります。華厳宗

祖師絵伝　華厳縁起（絵画56）ですが、新羅における華厳宗の祖、義湘《ぎしょう》と元暁《がんぎょう》の物語7巻です。最初は6巻でしたが、後で補修されて1巻が国宝に加わりました。第一巻第二巻は唐に学僧として渡った義湘に思いを寄せた善妙という女性が、龍に変身して帰国する義湘の渡海を助けた物語、第三巻四巻は新羅に残った元暁が王妃の病を治したお話。絵は滑らかでよどみない筆線と、絵具は薄めの透明感のある色調で描かれています。この二人の祖師を慕っていた明恵上人が自分にも善妙のような献身的な女性が現れることを願って制作させたと言われています。

また明恵上人が幼い頃に亡くした母の面影を慕い、毎日母として仰いだ仏眼仏母像（絵画15）も国宝です。幾重にも花びらが積まれて白くて大きな蓮華の花の上に、仏眼仏母は印を結んでおごそかに坐しています。頭に智恵の王者を象徴する獅子冠を着け、やさしく穏やかな表情をし、人々をいつくしむ眼差しを感じさせます。この仏眼仏母を明恵上人は母と慕い、画賛にも母御前と呼び、自らを耳無法師と呼んでいます。24歳の時にこの画の前で右耳を切り落とし、仏道を進むことを決意したと伝わっています。明恵上人樹上図も右を向いて右耳を見えないように描いているのはその理由かなと思います。

篆隷万象名義《てんれいばんしょうめいぎ》6冊（書跡・典籍144）は9世紀前半に空海が1万6000字余りを542の部首順に解説した日本最古の字書です。それを永久2年（1114年）に書写したものです。空海の直筆ではないので空海の書としては外しています。「弘法も筆の誤り」や「弘法筆を選ばず」という日常的に使われる言葉があります。「弘法も筆の誤り」は嵯峨天皇の命で「応天門」の門額を書きましたが、「応」の「心」の一番上の点を書き落としました。そこから空海のような書の達人でも誤りをすると我々への慰めのメッセージのようにとれます。只、空海はその額を下ろさせることなく、筆を投げて見事に点を書き足したという逸話も残っています。「弘法筆を選ばず」は「どんな筆でも立派に書くだけの力量がある」という意味でどんな悪い筆を使っても良いという意味ではありません。事実、空海の真跡を見れば良筆を使っていたことは明らかです。また自分で狸の毛で筆を4本作って嵯峨天皇に献上しているくらいですから、良い筆には拘っていたと思います。

玉篇巻第廿七　前半（書跡・典籍99）は中国梁代成立の漢字辞書「玉篇」の唐時代の写本です。これも中国では早くに失われて日本にしか残っていません。他にも高山寺に続く後半部分、玉篇巻廿七　後半（書跡・典籍76）が石山寺にありますし、伊勢神宮にも玉篇巻廿二（書跡・典籍24）、早稲田大学にも玉篇巻九残巻（書跡・典籍９）が保存されています。

冥報記《めいほうき》３巻（書跡・典籍１４３）は唐代成立の仏教説話集の写本で、成立から２世紀ほど後の唐代末期の写本です。これまた中国では早くに失われていますので、世界で現存最古の貴重な写本です。前田育徳会尊経閣文庫と知恩院にも原本を一部抜き書きした鈔本《しょうほん》が伝来していますが重文です。説話集が広く読まれて影響を受け、興福寺所蔵の日本霊異記上巻（書跡・典籍１６８）や京都大学所蔵の今昔物語集　９冊（書跡・典籍２７３）の誕生につながったと思われます。

春に行くなら桜の吉野山ですが、金峯山寺本堂（建造物１５６）は蔵王堂と呼ばれています。白鳳年間に役行者によって創建されました。桁行五間、梁間六間の裳階付入母屋造、高さ34ｍ正面幅36ｍ奥行きも36ｍの巨大建築です。上千本・中千本辺りから見下ろせば蔵王堂が桜に囲まれて浮き上がった姿が目につきます。秘仏の本尊は金剛蔵王大権現三体で重文です。特別開帳の日に拝観に行きましたが、特別な間仕切りに囲われた小ブースで読経の間に上を見上げるのですが、全身青い体に牙をむいた蔵王権現は迫力満点で、中尊の蔵王権現は７ｍの高さから如何にも参拝者を睨みつける視線を煌々と向けられ息を呑みました。この蔵王堂は戦火に見舞われることが多く、現存は3回焼失後に天正19年（1591年）に再建されたものです。

二王門（建造物157）は三間一戸の二重門で棟の高さは2階建て20・3mです。軒先に吊るしてある風鐸《ふうたく》の銘から室町時代の康正2年（1456年）の再興だと分かります。本堂は南が正面に対し二王門は北が正面です。理由は熊野から吉野へ来る参詣者と吉野から熊野に向かう巡礼者双方に配慮しているからだそうです。吉野山ロープウェイ駅から登ってくる参詣者や花見客を総門である黒門、銅鳥居《かねのとりい》に引き続き最後に迎える門です。高さ5mの重文の仁王像が安置されています。奈良の仏師康成により延元3年（1338年）に阿形像、延元4年（1339年）に吽形像が造られました。現在は2028年完成目指して大修理中です。

繰り返しですが吉野には是非とも春真っ盛り、4月の10日前後でしたが、今は少し早くなったかもしれません、開花予報に注意して訪れてください。下千本・中千本・奥千本と言われ全山桜の大パノラマが堪能出来るのが楽しみです。中千本辺りには歌舞伎の「義経千本桜」の名場面の舞台花矢倉が出てきますので、お見逃しなく絶景を楽しんで頂けたらと思います。

このように適度というか、多少きつめの運動になる国宝は沢山あります。

室生寺は興福寺の僧、賢憬《けんけい》によって宝亀年間（７７０年から７８１年）に創建されました。特徴的なのは高野山の女人禁制に対し、女性の参詣が許されていましたので、女人高野と言われています。入口の朱塗りの太鼓橋を渡り、右に折れ、仁王門を過ぎ、最初の急な鎧坂の石段を上がると、正面に金堂、左手に弥勒堂が出てきます。さらに階段を上がると本堂灌頂堂に出会い、その左後方の階段の上にハッとするほど美しい五重塔が見えてきます。

国宝　室生寺五重塔（建造物31）は延暦19年（８００年）頃の建立で、朱塗りの五重塔です。屋外にある五重塔としては、法隆寺に次いで2番目に古く、屋外にある五重塔では最小の高さ16mです。一番高い54・8mある東寺の五重塔や2番目の50・1mの興福寺の五重塔の３分の1もありません。初重も2・5m四方という小ささで小型の塔です。屋根は下から地（基礎）、水（塔身）、火（笠）、風（請花）、空（宝珠）からなっていて、五つの世界を表しています。通常の五重塔は、初重から

国宝室生寺五重塔の前で

1番上の5重目へ向けて屋根の張出しが次第に小さくなっていきますが、室生寺の五重塔は屋根の逓減率が低く、1重目と5重目の屋根の大きさがあまり変わりません、そのため大きく美しく見せていると思います。本堂灌頂堂左側の石段の上に天女が舞い降りたように立っています。著名な写真家を虜にしたのは有名です。石段の両側に石楠花が咲き、足元に注意しながら石段から見上げる五重塔に土門拳がとりこになったように「なんと美しい」と叫びたくなります。雪の五重塔を撮るために長居してついに雪の日に遭遇して撮った1枚は自作100選に選んでいます。平成10年（１９９８年）台風７号の強風のため近くの樹齢４００年50ｍもある杉の古木が倒れて五重塔はもう駄目だと思わせる程の大被害を受けました。塔の修復のため、今ならクラウドファンディングでしょうが、秘仏などの寺宝を博物館で特別展示するなどして、修復費用を集めることが出来ました。そのお陰で現代の名工たちがものの見事に完全修復しました。出来るだけ元の素材を使うことで国宝の指定解除はありませんでした。

国宝　室生寺金堂（建造物64）は平安前期の建築で段差のある地盤に建っており、建物前方の礼堂部分は斜面に張り出して、床下の長い脚で支えています。このような建て方は山岳寺院によく見られる懸造《かけづくり》です。建物は桁行五間、梁間五間、柿葺の寄棟造りで、下から見ると、須弥壇上に向かって左から国宝　十一面観音立像（彫刻62）、重文　文殊菩薩立像、国宝　釈迦如来立像（彫刻45）、重文　薬師如来立像、重文　地蔵菩薩立像を横一列に安置し、これらの手前には重文の十二神将立像が立っていました。私が室生寺を訪問した平成24年（２０１２年）当時はこの仏様群像が勢揃いして荘厳で圧巻の眺めでした。現在は保存上の理由から、国宝十一面観音立像、重文　地蔵菩薩立像、重文　十二神将のうち６躯は宝物殿に移されています。従い今は本尊　国宝釈迦如来立像が半分の眷属を従えて並んでおられます。本尊の後ろ側にヒノキの板壁、来迎壁が付いており、そこには国宝　帝釈天曼荼羅（金堂来迎図）（絵画151）が描かれています。以前は仏様に囲まれて随分と見にくかったのですが、その意味では今は見やすくなったのではと思います。今度また見に行かなくちゃと思っています。

釈迦如来立像（彫刻45）は像高238㎝の大型の金堂本尊です。平安時代前期の作でカヤノキの一木造です。台座と光背も当初のものが残っていますので、その光背に七仏薬師が描かれている点や十二神将、薬師如来の眷属が配置されている点などからは本来は釈迦如来でなく薬師如来として造立されたものと推察されています。光背は平らな板に絵具で図柄を表した板光背であることも特長です。

十一面観音立像（彫刻62）は像高195㎝の頬に薄紅が残っているかのような可愛らしい十一面観音です。これも平安時代前期の作でカヤノキの一木造です。金堂内陣に向かって左端に安置されていましたが、令和2年（2020年）に寶物殿に移動しました。本尊釈迦如来立像とともに、室生寺様《よう》といわれる翻波式のヒラヒラと動きを感じる衣文《えもん》が特有の作風で造られています。

板絵著色伝帝釈天曼荼羅図　金堂来迎壁（絵画１５１）は金堂の諸仏を安置する内陣須弥壇の背後にある壁の中央部に描かれている壁画です。真正面に金堂本尊の釈迦如来像が立っているため、我々一般拝観者からは壁画はごく一部しか見えません。壁画は縦長のヒノキの板を横方向に5枚つなげた縦３５１㎝横１９３㎝の板絵の上に、白土下地に線描し彩色を施しています。板絵の中尊は独鈷杵《どっこしょ》を持つ帝釈天が描かれていることから帝釈天曼荼羅と呼ばれています。

次に室生寺弥勒堂ですが、お堂の名前の由来の本尊弥勒菩薩立像は重文です。木造釈迦如来坐像（彫刻63）は像高１０６㎝の御釈迦様で、弥勒堂の本尊に向かって右に客仏として安置されていました。令和2年（２０２０年）に寶物殿に移されました。作風から平安時代前期の作とみられています。手のひらを広げて、右手は上げて施無畏印《せむいいん》、左手は下げて前に突き出す与願印の形をしています。太く丸みのある衣文と細く鋭い衣文を交互に刻む翻波式衣文は室生寺様の特色を持っています。

一番奥にある国宝　本堂灌頂堂《かんじょうどう》（建造物65）は鎌倉時代後期の延慶元年（1308年）に灌頂という密教儀式を行うための堂として建てられました。桁行五間、梁間五間の入母屋造りで檜皮葺です。室生寺の密教化が進んでいたので、この形が取られ、手前2間を外陣、奥の3間を内陣としています。内陣中央の厨子には重文の如意輪観音坐像を安置し、その手前西側左の壁には金剛界曼荼羅と東側右の壁には胎蔵界曼荼羅と向かい合わせに掛けられており、灌頂堂としての形式を保持しています。

醍醐寺の国宝　薬師堂（建造物198）と国宝　清瀧宮拝殿（建造物162）が上醍醐にあります。多くの皆さんが醍醐寺と思われているのは下醍醐のことで、そこには国宝　三宝院表書院（建造物170）、三宝院唐門（建造物164）、五重塔（建造物8）、金堂（建造物202）があり、秀吉が催した醍醐の花見で愛でたと伝わる桜の樹も残っています。しかし五重塔の横道を進むと標高450mの笠取山への山道があって、時間としては1時間ぐらいで上醍醐に行けます。有難い目安として石の標識の1合目2合目などを見ながら登ります。3合目ぐらいに秀吉もそこから花見をした場所が出てきます。さらに10合目が頂上かと思って登っていくとそうではなくて、実は頂上は15合目を過ぎないと出てきません。10合目で「えっ？　頂上じゃないの？」とどっと疲れを感じ、ちょいと罪作りですのでご注意ください。それでも頑張って醍醐寺開創の地に辿り着くと、そこには醍醐寺開祖の聖宝、後の理源大師がそこに初めて登った時、その山の土地神様から「これが醍醐の味だ」と言われた霊水「醍醐水」が今もコンコンと湧き出ています。勿論今も飲めますので疲れを吹き飛ばしてくれます。汗をかきながら疲れもピークになっている時に頂く醍醐水は格別な味がします。これが正真正銘の「醍醐味」なのかと妙に納得します。

醍醐水の井戸から上を眺めれば清瀧宮本殿が望めます。

清瀧宮拝殿（建造物１６２）は醍醐寺の鎮守社です。どうしてお寺の中に神社がと訝しく思いますが、空海が唐の長安の青龍寺から勧請した密教の守護神、清瀧権現を祀った鎮守社なのです。寛治2年（１０８８年）に創建されましたが焼失し室町時代の永享6年（１４３４年）に再建されました。名前の由来も長安の青龍寺から来ていますが、海を渡ったのでサンズイを加えて清瀧としたとのことです。桁行七間、梁間三間の懸造り入母屋造りで向拝三間、軒唐破風付、檜皮葺です。しかし登り道の横左上方に建っていて全体像が見えません。清龍宮全体の姿が見られないかと周りを廻ったり、清龍宮の裏手の山の斜面を登ったりしましたが、山岳建築の最たるもので全体の姿を見ることは出来ませんでした。上醍醐に建設されてからすぐに下醍醐にも分身され、五重塔の反対側に清龍宮本殿と拝殿がありますので、お間違えないように。下醍醐の清龍宮本殿は重文です。醍醐寺薬師堂（建造物１９８）は醍醐天皇の勅願により、聖宝が延喜13年（９１３年）に天皇の祈願所として創建しました。桁行五間、梁間四間、中央の2間が狭く、前寄りと後寄りの各1間が広いのが珍しい檜皮葺の入母屋造りです。現存の堂は保安2年（１１２１年）の再建です。内部には国宝　薬師三尊像（彫刻76）、重文の閻魔天像・帝釈天像・千手観音像などが安置されていましたが、現在は下醍醐の霊宝館に自分が上ってきた山道を全て人の手で下ろされ移されています。薬師堂の中を扉の格子越しに覗いてみましたが、がらんとしてお堂のみで味も素っ気もなかった記憶が残っています。

さらに上ると貞観18年（８７６年）聖宝によってと創建された重文の懸造りの如意輪堂と准胝堂があります。慶長11年（１６０６年）に豊臣秀頼により再建されたものです。さらに重文の開山堂も豊臣秀頼により再建されました。内陣の厨子には重文の理源大師、聖宝坐像が安置されています。笠取山の頂上付近には聖宝が鎮護国家の祈願道場として延喜13年（９１３年）に創建した五大堂があります。焼失後に豊臣秀頼が慶長11年（１６０６年）再建しましたが、昭和に入って７年（１９３２年）にも焼失し現存は昭和15年（１９４０年）の再建です。醍醐寺に行かれたら下醍醐で終わりとせず、少し余裕を持ってやはり上醍醐に登り醍醐水を是非味わってみてください。力水を頂いた気分になりますよ。

羽黒山の国宝五重塔（建造物２１７）は標高４１４mの羽黒山山頂まで２４４６段あり、香川県の金毘羅さんの石段７８５段の３倍以上あります。途中でよく山伏にも出くわします。その山道は霊験あらたかな空気に包まれ、どこまでも天上に届くばかりの杉並木の中を上ります。樹齢３００〜５００年の杉の森林浴です。その中でも一番の巨木は１４００年前の開山以前から聳えている爺杉で、五重塔の手前に立っています。ここが「ミシュラン・グリーンガイド・ジャポン」の三つ星観光地に選ばれた理由が分かります。外人客も沢山出かけています。

国宝羽黒山五重塔は杉木立の中に建つ素木造りの塔

　有り難いことに、五重塔まででしたら一の坂入口にあって、丁度3つの駅の階段を上り下りする程度で200段も数えないうちに到着します。その白木の五重塔の優美さは背景の杉林に映え、深い感動を呼びます。でもここまで来たら山頂の月山・羽黒山・湯殿山の三神を合わせた三神合祭殿まで行こうとなりますが、そこからが坂が急峻になって大変です。一の坂を越え二の坂に入ってもう歩き疲れたという辺りに眺めの良い二の坂茶屋が待っていて、眼下に庄内平野を眺めながら抹茶と力餅で疲れを取ります。ここまで上ってここで休めば、山頂まで上れること間違いなしと「登頂証明書」を発行してくれるという仕組みは心憎いばかりです。

山頂の三神合神殿は高さ28ｍですが、驚きは茅葺屋根の厚みです。ゆうに約２ｍもあり、東北最大級の規模です。豪雪地帯ですので雪が滑り落ちやすい形になっています。この羽黒山には鶴岡から入りますが、その鶴岡は藤沢周平の生まれ故郷で小説によく出てくる海坂藩の舞台です。鶴岡市の至る所に「藤沢周平の小説の舞台はここです」と高札が立てられていて、作品紹介と小説場面の一節がしたためてあります。やはり決闘の名場面が多く小説通りの情景が見え、立ち回りの雰囲気と臨場感が味わえます。是非案内の地図を片手に回って見てください。その時は自転車が良いかもしれません。また、ダダ茶豆の産地です。他の枝豆や茶豆と比較にならぬ美味しさです。旬は８月のお盆のあとですので、その頃が良いかもしれません。

豊楽寺薬師堂（建造物１００）は四国の山奥、大歩危小歩危の近く、土讃線大田口駅で降ります。無人駅ですので駅前のタバコ屋が駅と郵便局の役割を果たしています。そこから吉野川沿いに歩き、橋を渡ると豊楽寺の参道入口の石碑が見えてき

高知県大歩危小歩危の近くの国宝豊楽寺薬師堂

ますので、崖の石段を上っていきます。上り出して30分すると「こんなところに本当に国宝があるの？」と心細くなるのを２、３回我慢すると神仏照合の名残の神社の鳥居が現れます。そこからさらに急な階段を上ると豊楽寺に到着します。上り切れば達成感がどっと溢れます。豊楽寺は聖武天皇の勅願によって神亀元年（７２４年）名僧行基が開基したと伝えられています。その薬師堂は平安後期仁平《にんぴょう》元年（１１５１年）に建立された四国最古の建物です。聖武天皇が薬師本願経の一節「資求豊足身心安楽」より豊楽寺と名付けたと伝わっています。桁行（正面）五間、梁間（側面）五間の柿葺入母屋造りです。内陣には重文の薬師如来像３体が安置されています。左側の階段を上ると開けた場所になり、そこから屋根の勾配がゆるやかで軒先の反りが優美な美しい姿の薬師堂全体が上から見渡せます。山岳寺院ならでは景観です。

Q25 命懸けで見に行く国宝ってどこにあるのですか？

国宝探訪もスポーツ スリルとサスペンスも味わえます

健脚が鍛えられる国宝の極めつけは命懸けの山登りを覚悟しなければならない、鳥取県にある三徳山三佛寺奥院の投入堂（建造物71）です。投入堂はどうしてあんなところに御堂が建っているのか、岩肌にどうやって組み込んだのか、どうしても不思議に思えてなりません。標高５２０ｍの三徳山の断崖絶壁に建っています。修験者の役行者が法力でお堂を手のひらに乗るほどに小さくし、大きな掛け声と共に断崖絶壁にある岩窟に投げ入れたと言われています。それで投入堂と呼ばれるようになったというお話です。

命懸けというのは、毎年滑落死が2、3人は出ると言われているからです。そのため登山口の検査が厳重です。まず重いリュックやカバンは置いておけ、両手がいつも使えるように空けておけ、靴底はしっかり岩肌を掴むほどの溝が付いていること、靴の裏底を点検して駄目なら700円（当時は500円でした）のわらじに履き替えろ、さらに一人入山は許さない、一人で来たら相棒が見つかるまで待て、入山名簿のグループ欄にそれぞれ全員の名前と住所・連絡先を記せ、そして入山の間は常に一緒に行動せよ、特に出口には一緒に出ること、これらは全て遭難者の身元を把握するためだそうです。三徳山受付案内所にて入山志納金400円を納め、投入堂参拝登山受付にて投入堂参拝登山料1200円（当時は800円でした）を納めます。いやはや入山料1600円（当時は1200円でしたので命の値段も400円上がりました）の命懸け登山です。

そんな凄いところに国宝があるとは思わず準備が足りませんでしたが、我が靴底を見て今日は天気が良いから大丈夫かなと許可されました。近郊から来られた家族とご一緒させて頂いて登ったのですが、皆さん用意周到で服装は汚れても大丈夫なもの、軍手と水分補給のための水筒とタオルは持参されていました。皆さんもしっかり準備して挑戦してください。

命懸けで登った三徳山三佛寺奥院の国宝投入堂の前で

実際に登ってみると、まさしく山伏の修験者道を歩むことになります。立って登ることが出来るところは楽です。どうしても垂直と見える箇所が何回か出てきて、カズラ坂では木の根やからまる蔦の大丈夫そうなものを握ってよじ登るしかありません。実際は垂直じゃないのでしょうが、前の人のお尻が真上に見えるので、なにとぞ滑らないでくれと祈りながら登ったものです。大きな岩の峯や背を渡ることもあります。下を見るとこういうところで滑落すると死ぬのだなと思える谷底が見え隠れします。当然立っていると風圧も受けるので、しゃがみながら獣のように渡ります。クサリ坂では岩が聳え立ち鎖を握って登らねばならない個所もあります。登山口の案内人に聞くと、毎年登る難易度が上がっているそうです。何故なら皆さん必死になって登るので木の根や蔦などが折られたり、切られたり、足場の土を崩したりしてドンドン支える物が減ってきているからだそうです。ともかくそこを登りきると途中の断崖絶壁に重文の文殊堂と地蔵堂があり、しばしの休息が出来ます。しかし御堂の縁側には勿論手すりや滑り止めがある訳でなく、下を見ればまたもや崖下で、安心して休めません。その縁側を他の登山者と行きかうのも細心の注意です。さらに登ると山上近くに鐘楼が出てきます。やはりここまで来た証に鐘を撞きたくなります。記念に順番を待って撞いてきました。ここまで来たぞという感動が音色にこもります。希望者は登山禁止中の大晦日に除夜の鐘を撞くことが出来るそうですが挑戦されますか。

そして最後の絶壁に少し張り出した道を片手で壁を触りながら進むと「投入堂」が見えてきます。それだけの苦労をすると、何と美しいことか、よくぞこんな岩窟に建てたものよと感動します。写真家土門拳をして「日本一の建築」と言わしめた信仰に近い感動がじわっと湧いてきます。

この投入堂は高さ４m奥行き４mの総檜造りです。少し削って平らにした面の岩の上に16本の柱が直接置かれているだけの匠の技、最高峰の懸造です。その柱も表面を八角形に削られており、優美さが一層冴えます。それで９００年前の素材がそのまま残っているのは、この御堂が北向きに造られ太陽が当らないように、風雪から守られてきたという、修験者の匠の知恵が活かされていることに、もう一度驚嘆します。

いやこんな危ないところには脚に自信がないので見られないかなと思われた方には、ちゃんとバスツアーや車で出かければ、ふもとの駐車場近くから投入堂が遠望できる投入堂遥拝所があります。そこから眺めることが出来ます。友人もその場所に行って「あんな崖の途中によく建てたな」「えっ、あそこまで登ったのか。怖いのでやっぱり止めとくわ」と、下から見上げてもなかなかの景観であったと感激していました。望遠鏡を持参されたなら、断崖絶壁の窪みに建てられた凄さがもっと分かると思います。

この投入堂に登られたなら、その後は、日本で最も古いと言われている三朝温泉で汗を流してください。じっくり温泉に入って三回朝を迎えると病気や怪我が治ると言われたことが三朝温泉の名前の由来です。ここは世界でも有数の、日本で珍しい放射能泉で微量のラジウムやラドンが計測されます。ラドンとはラジウムが分解されて生じる弱い放射線で、そのラドンが呼吸で体内に入ると、新陳代謝が活発になり、免疫力や自然治癒力を高めるホルミシス効果があります。三徳川に架かる三朝橋のほとりにある河原風呂はその名の通り河原にある混浴露天温泉です。誰でもいつでも利用出来る三朝温泉のシンボルです。三徳川の清流を眺めながら源泉かけ流しの湯にゆっくり浸かれば、解放感も一杯で寿命が延びること間違いなしです。温泉療法のメッカとなっていますので、是非お試しください。女性のなかにはハードルが高いという方も多いので、足湯も造られましたので、安心して世界屈指のラジウム温泉をお試しあれ。また令和5年（２０２３年）の台風7号による被害は地元の懸命の復旧作業で3週間で「また安心して入れますよ」と戻ったそうです。

第4章

国宝の土偶にロマンが宿る

Q26 国宝の中で一番古い国宝は何ですか？

古い美術品と言えばエジプトのツタンカーメンのマスクや中国秦始皇帝の兵馬俑《へいばよう》を思い浮かべられる方もおられると思います。どちらにも王や皇帝の巨大な権力が造らしめた世界の国宝です。その規模の点からは比較出来ませんが、出来栄えでは対抗出来る日本の国宝はこれだろうと東博平成館にある考古展示室に出向きました。まさしく兵馬俑の兵士に負けない芸術性の高い武装男子立像、挂甲《けいこう》の武人（考古資料35）が入口で出迎えてくれました。残念ながら最初に見に行った当時は埴輪の国宝はこれ1体でした。兵馬俑の数の多さには改めて全くの脱帽です。始皇帝の権力の強大さに今更ながら驚きを禁じえません。現在は群馬県綿貫観音山古墳出土の埴輪の集団（考古資料48）が一括国宝に指定されていますが、せいぜい22体です。今年国宝に指定された三重県宝塚古墳出土の埴輪278点には人形埴輪はありません。

この考古展示室は時代ごとに美術品が陳列されていますので、大変見やすく興味

群馬県立歴史博物館で文化庁所有の
国宝綿貫観音山古墳出土品の埴輪22体の前で

が湧き理解が進むと思います。音を奏でる一番古い国宝は祭祀道具としての銅鐸、伝讃岐国出土袈裟襷文銅鐸〈考古資料1〉です。陳列されているなら音を聞いてみたいと思うのは人情で、その体験が出来るのは東博や国立歴史民俗博物館や神戸市立博物館をはじめとして増えてきました。早速レプリカの銅鐸の内側に付いている舌《ぜつ》を振ってカランカランと鳴らしてみました。是非古代ロマンを感じさせる乾いた賑やかな音を確かめてください。

　でもこれらは今では一番古い国宝ではありません。一番古いのは縄文

北海道２番目の国宝白滝遺跡群出土品を見に
中空土偶はじめ国宝の土偶も勢揃い
北海道博物館の前で

時代の土偶だと思ってきました。それ以前は単に黒曜石を割ったり削ったりしただけで美術品とは言えないのではないかと思っていました。しかしこの観念を破る国宝指定が令和５年（２０２３年）にありました。

　それが北海道の旭川と北見の真ん中辺りの紋別郡白滝村から出土した石器です。１万５千年から３万年前の土器を使用しない先土器時代の出土品です。現在遠軽町埋蔵文化財センターで所蔵されている北海道白滝遺跡群出土品（考古資料49）です。早速北海道博物館の「北の縄文世界と国宝」展に出かけました。

学芸員の方に素朴な疑問をぶつけてみましたら、美術品というよりは考古資料としての価値を重要視して国宝に指定されたということです。確かに京都府の個人蔵の丹後宮津の籠《この》神社の宮司海部家の家系図である国宝　海部《あまべ》氏系図（古文書１）や、奈良博所蔵の麻布に書かれた奈良時代の土地開発状況の絵図である国宝　越中国射水郡鳴門町墾田図（古文書60）の土地測量図、国立歴史民俗博物館所蔵のこれまた麻布に書かれた、奈良時代の国宝　額田寺伽藍並条理図（古文書２）の寺領絵図のように、美術品よりは歴史的資料として国宝に指定されていることからしても、文字のない時代には、考古資料として全長36㎝を越える大型石器などが国宝になってもおかしくないと納得しました。

マグマが一定の条件で急速に冷やされるとガラス質の火山石、黒曜石となり鋭い刃に加工出来るので重宝されました。我が国最大規模の黒曜石産出地である北海道の赤石山の山麓に広がる白滝遺跡群からの出土品は膨大で25ヶ所の遺跡から数約669万点、総重量約12トンもの遺物が出土したのです。そのうち、服部台２ヶ所、奥白滝１ヶ所、上白滝22ヶ所の遺跡の出土品は平成23年（２０１１年）重文に、その後整理が完了した白滝15遺跡の出土品を加えて1965点が国宝に指定されました。石器1514点、接合資料451点です。今後も整理が進めば国宝の点数はさらに増えるかもしれません。

数では2300年前の兵馬俑約8000体にかないませんが、古さではこれまでも圧倒出来る美術品として高い評価の国宝土偶があります。土偶の名称は江戸時代後期に曲亭馬琴などが参加した「耽奇漫録《たんき》」で土偶人と呼んでいたことが始まりです。

土偶と埴輪を混同されている方がおられるかもしれません。土偶と埴輪は紀元前後に同じ土で作られた人形《ひとがた》だと思っておられる方も多いのかもしれませんが、この二つは明確に違います。土偶は縄文時代の素朴な信仰対象、埴輪は古墳時代の御墓を飾るもう少し精巧な造形です。その意味では埴輪は兵馬俑に似ています。

二つは大きく時代が異なります。まず文化区分を整理しておきます。旧石器時代から始まる縄文、弥生、古墳、飛鳥、奈良、平安、鎌倉、南北朝・室町、安土桃山、江戸時代の文化の流れの中で時代の期間が一番長いのは、何といっても旧石器時代と縄文時代です。1桁2桁3桁違います。旧石器時代は3万8000年前から

1万6000年前、縄文時代でも1万3000年から紀元前1000年前です。最近の放射性炭素年代測定の加速器質量分析法で水稲耕作の開始時期が早まり従来の500年より早くなり紀元前1000年との新説が有力になりました。旧石器時代は2万年以上、縄文時代はゆうに1万年余を越える長さを誇ります。続く弥生時代は紀元前1000年から紀元後300年の約1300年間です。そのあとに古墳時代が紀元後3世紀後半から7世紀と続きます。縄文時代の終わりが変わるように歴史も新説の登場で変わることもありますが、とりあえず現在の教科書を参考にしています。鎌倉幕府の成立を我々の時代の教科書では「いい国つくろう鎌倉幕府」で源頼朝が征夷大将軍に任命された建久3年（1192年）でしたが、現在は「良いハコつくろう鎌倉幕府」で義経追討のため諸国に軍事・警察権を握る守護と、荘園などに地頭を置く権限を朝廷に認めさせた文治元年（1185年）を成立としています。また日本で最初の貨幣は和同開珎《かいほう》と習いましたが、今は富本銭《ふほんせん》に変わりました。和同元年（708年）に鋳造された年を遡ること25年前の天武天皇12年（683年）に鋳造開始されたとされる富本銭が続々発見されるようになりました。

縄文時代の1万年は揺るがない圧倒的な長さです。草創期、早期、前期、中期、後期、晩期と1000〜3000年単位で分けていますが、この長さゆえに謎も深く、文字が発達する以前ですので決め手がなく、古代悠久のロマンは膨らみます。このロマンが感じられる場所として、1万年に及ぶ縄文時代の6期のうち4期の地層を持つ場所が鹿児島にあります。タバコで有名な霧島市国分にある上野原遺跡です。そこは正しく土の中から出てきた縄文時代の五つの区分、早期前葉、早期後葉、前期、後期、晩期の地層が同じ場所から発見され、出土品もそれぞれの時代を反映しているという極めて稀有で貴重な遺跡です。何故なら霧島、桜島、喜界島の大噴火によってその時代は埋もれてしまい、そのあと同じ場所に次の時代の縄文人が住んだことが出土品で証明されています。地層観察館で立体的に地層を切り取って見せてくれており、噴火によって火山灰が降り積もり住めなくなってしまいますが、1000年も過ぎると自然が蘇り、また縄文人が同じ場所に戻り、進化した縄文土器を持って居住するという歴史を繰り返したことが分かり感動を覚えました。澄んだ湧水と豊かな木の実採集と漁撈《ぎょろう》に恵まれ、縄文人が住むには快適な場所だったのでしょう。西暦79年のヴェスヴィオ火山噴火で埋もれたイタリアのポンペイ遺跡よりもある意味凄いと思います。同じ場所で再生しているのですから。

縄文時代の遺跡は全国で約9万4000ヶ所が確認されていますが、その縄文遺跡から出土した土偶は1万5000体ほどあります。そのうち重文は14件で、国宝は5件です。日本の文化は大陸の影響を受けて西日本から始まったようなイメージがありますが、面白いことに土偶の発見の場所は東日本が8割で長野県から北海道に及んでいます。もう一つの国宝縄文土器も新潟県出土ですので縄文時代の国宝6件は全て東日本から出土しています。当時はまだ原始的な生活様式で雪の多い寒い地域に縄文人が住むのは大変だったろうと思いますが、実は東日本で日本文化の豊かさが育まれていたのです。また古墳時代の埴輪は前述の挂甲の武人と2021年国宝に指定された綿貫観音山古墳から出土の埴輪22体が一括して1件、令和6年（2024年）に新たに埴輪278点一括で国宝に指定された三重県宝塚1号古墳を加えて、国宝3件、重文は370件あります。

1万年超の長さの中で土偶もゆっくりと進化しています。粘土をこねて自然乾燥させた上で野焼きをしたと思われますが、土偶も土器と同じように粘土を紐状にぐるぐると輪を重ねながら積み上げて造形していったのは同じです。縄で表面に縄文を付けるのも土器と同じ工程です。故意に壊されたような破片で出土することも多く、その中で多少の損傷はあってもほぼ完品で出土したものが重文や国宝に指定されています。

草創期（紀元前1万3000年〜1万年）は大きさ数cmの手の中にすっぽり収まる土塊です。最古の土偶は三重県の粥見井尻遺跡から出土した頭部はありますが顔はなし、体には乳房だけが付いている7cmの塊です。早期、前期を通じ次第に頭部や目鼻、手足が作られるようになり、縄文中期から堰を切ったように数が増え大型化し体の部分が明確になった表現に変わっていきます。

日本最大級の縄文集落である青森の三内丸山遺跡は縄文前期から中期、紀元前5500年から4000年の集落で、ここから重文の縄文ポシェットや大型板状土偶が出土しています。竪型住居跡や掘立柱建物跡、中でも直径1mの栗の柱で高さ14・7mの六本柱建物が再現されており、三内丸山遺跡のシンボルタワー的存在です。またそこから出土した黒曜石は日本各地の産地が特定されています。あの当時くり抜いた丸太の舟で海路1000kmもどうやって移動したのでしょうか。縄文人の逞しさに頭が下がります。でもそのくらいのリスクは冒さないと黒曜石など必要なものが手に入らないと思うと、現代のビジネスリスクへの挑戦にも勇気を与えら

遮光器土偶のシャコちゃんが駅舎の青森県五能線木造駅の前で

れました。

重文の土偶は14体あります。その中で形が特徴的で有名な土偶を紹介します。三本指の円錐型土偶は高さ25・5㎝で山梨県鋳物師谷遺跡から出土、指が三本なのとお腹の正中線が目立ちます。振るとカラカラと音がして、土鈴のように使われたと思われます。ミミズク形土偶は高さ20・5㎝で埼玉市岩槻区真福寺貝塚から出土、ハート形の顔にエリマキトカゲのような突起が五つ付いているのが特徴です。群馬県吾妻郡東吾妻町郷原遺跡から昭和16年（1941年）に出土した、ハート形土偶は高さ30・3㎝で縄文後期の作です。90円切手にもなった現代アートのような土偶です。川端康成が手元においてこよなく愛した土偶です。

縄文晩期に登場したラクビーボールのような目をした遮光器土偶も多く発見されています。重文は三つありますが、中でも人気は青森木造亀ヶ岡遺跡出土の遮光器土偶で、JR東日本五能線の木造駅のシンボルとなっています。その愛称「しゃこちゃん」は17mもありその目は列車発着の際に光ります。出かけた時は昼間だったので特別に駅員さんに頼んで点けたり消したりして頂き、少し離れた場所からその赤と緑の目を確認させて頂きました。駅員さん有難う御座いました。今はLEDに代り6色になったようです。遮光器土器は左足がありませんが、元々からなかったのでは、どこか悪いところを身代りにして作られ祭祀の中で壊されたのでは、と想像されます。ミミズク形、ハート形、遮光器土偶は全て個人の所蔵ですが、3体とも東博で見ることが出来ます。遮光器土偶はその重さを感じてもらうために抱っこが出来るレプリカが置いてあります。東博で「しゃこちゃん」を抱いてみてください。

遮光器土偶が縄文時代の最後を飾る土偶で、その後は姿を消してしまいます。縄

茅野尖石縄文館で国宝縄文のビーナスと国宝仮面の女神と並んで

文時代の狩猟採集の時代の人間に取りつく悪霊が病気や怪我の原因でそれを退散させる意味を持っていた土偶の一部を破壊する祭礼が、稲作農耕の再生やよみがえりの祭礼に変化し、土偶が相応しくなくなったのではないかと推察します。土偶の名残が弥生時代には人面付き壺型土器に引き継がれた程度です。

国宝の土偶は5体

5体の国宝の土偶の中で、一番有名な古い国宝は縄文のビーナスでしょう。

国宝　土偶縄文のビーナス（考古資

料37）は文化庁の登録名が「土偶」となっている由緒ある最初の国宝土偶です。全英オープンゴルフが「ジ・オープン」と呼ばれるのと同じでしょうか。昭和61年（１９８６年）長野県八ヶ岳南麓の棚畑遺跡で工業団地（現ＮＩＤＥＣ元日本電産茅野事業所）建設の事前調査中に深さ30㎝から出土し、茅野市尖石縄文考古館に収められています。縄文中期約５０００年前の作で、平成7年（１９９５年）国宝指定の土偶第1号です。高さ27㎝で顔には切れ長の目とおちょぼ口が付き、頭頂部は渦巻文があり平らです。どっしりした丸い下半身や強調された足の安定性、ぷっくりと膨らむ腹部に小さなおへそ、お尻を後ろに突き出しまさしく多産・子孫繁栄を願った縄文人のビーナスであったろうと想像出来ます。ボッティチェリが描いたビーナス像や現代のビーナスとは全く異なりますが、これが最高の女性像、生への賛美を表す縄文人の美意識であったと容易に想像出来ます。凄いことはＸ線写真でみるとおへその部分から内部に中空の管、へその緒が付いていることです。これは驚きです。またＭＲＩ撮影では体の部分部分が個別に作られそれを集合して継ぎ合わせたことも分かってきました。よく見ると右足が少し短いので歩行の姿を現しているように見えます。素晴らしい土偶です。

国宝　土偶仮面の女神（考古資料46）は高さ34㎝で、平成12年（２０００年）に縄文のビーナスが見つかった近くの長野県中ツ原遺跡から出土し、同じく茅野市尖石縄文考古館で常時展示されています。14年後の平成26年（２０１４年）国宝に指定されました。縄文後期前半の約４０００年前の作です。この二つには１０００年の隔たりがあります。両腕は短く乳房はペチャンコで豊満な胴回りの真ん中には渦巻状のへそがドーンと付いています。股間には女性器が付いています。内部は中空で脚部は鉢型土器をそのまま援用したかのようなボリューム感です。目を引くのは逆三角形の仮面です。仮面の裏側にはヘッドギアのような紐がしっかりと頭部を巻いています。是非横から見て確認してください。ただ何故逆三角形の仮面なのか、何度見つめてもその謎は深まるばかりです。同時に発見された土器８点も国宝附です。この二つの国宝土偶の発掘者は同じ方で元々は小学校の先生で後に縄文考古館の館長となられた守矢さんです。ここでは３００円払えば縄文土器や土笛などを作る縄文体験が出来ます。是非とも縄文人に負けない作品に挑戦してください。この近くに縄文の湯が二つあります。茅野市運営の考古館近くの唐松林に囲まれた尖石温泉と横谷峡の横谷温泉があります。横谷温泉は八ヶ岳中信高原国定公園内の渓谷

山形県立博物館で国宝縄文の女神の前で

沿いに佇む宿で、黄金色と言われる含鉄泉と二酸化炭素泉の茶褐色の濁り湯です。マイナスイオンを吸い込みながら黄金色のお湯につかる気分は縄文人の追体験になると思います。

国宝　土偶縄文の女神（考古資料45）は高さ45cmもあり、日本最大の土偶です。山形県立博物館で常設展示されています。山形県西ノ前遺跡から出土します。中空の空洞ではなく中に土が詰まっているのにひび割れしないでこの大きさを焼き上げているのは大変な技術だそうです。優美な曲線と直線の組み合わせは現代でも前衛的な造形美です。顔はのっぺらぼうですが胴は他の土偶と違いスラリとしており珍しく脚が長い。女性の立ち姿を大胆にデフォルメしており、現代アートとして出品してもそのまま受け入れられそうな傑作です。国宝附の土偶残欠47点には素晴らしい出来栄えの縄文の女神のミニチュアも含まれています。制作は縄文中期と見られ５３００年前と推定されます。

国宝　土偶合掌土偶（考古資料44）は高さ19・８cmで青森県八戸市風張１遺跡から出土し、是川縄文館で常設展示されています。これまで発掘発見されてきた土偶の中で合掌をしている完品はこれ

青森県八戸市の是川縄文館で国宝合掌土偶とともに

が唯一です。両足を若干開いて両膝を立て、腰を下ろして両手を合わせて拝んでいる姿勢を取っています。顔となると粘土紐を貼り付けて作られているせいでしょうか、唇が厚ぼったく仮面のような独特の表情をしています。腕が足のように太いのは当時の焼成技術から仕方ないと思いますが、全体としては極めて人体に近い作りになっています。この点が他の土偶とは違う特徴です。縄文後期後半の約３２００年前のものであると推定されます。

国宝　土偶中空土偶（考古資料42）は高さ41・5㎝で縄文時代後期の北海道著保《ちょぼ》内野《ないの》遺跡から出土し函館市立博物館縄文文化交流センターで公開されています。北海道最初の国宝です。昭和50年（１９７５年）農婦がジャガイモ畑で芋を掘っていたらカチンと当たるものがあって、なんて固いジャガイモなんでしょと掘り出したら、顔や足がついていて腰をぬかしたと報道されています。腕はなく、頭のてっぺんには小突起が付いていて、頭上部左右に２つ穴が空いているのは何かの理由で破損したと考えられます。これが中空の土偶と呼ばれているのは、中が空洞の土偶では国内最大の大きさだからです。胴部はくびれ、その下に直立する2本の脚はすらりとふっくらし、全体のふくよかな曲線美は見事です。両足を連結する小さな筒に小さな孔が空いており、焼いた時に空気が膨張するのを逃していたからだと思われます。これもよく見ると、右足が左足より少し前に出ており、今にもヨチヨチ歩き出しそうな動きが感じられます。これも縄文後期後半の３２００年前と推定出来ます。

土偶は地母神とか精霊とかの見方もありますが、私は国宝の土偶は殆どが、出産の安全、一族の多産と子孫繁栄の願いが込められている妊婦を表現していると思います。胴部には女性器や妊娠線も描かれています。本当に微笑ましい国宝です。

こうした土偶の姿を見ていると、何となく似ているものを思い出しませんか。そうです、昭和45年（１９７０年）の大阪万博に出現した高さ70ｍの太陽の塔です。この太陽の塔の上部にある黄金の顔はまさしく土偶の顔です。作者の岡本太郎は日本人のアイデンティティを縄文土器や土偶に発見しました。昭和15年（１９４０年）東博を訪れて、縄文土器や土偶に宿る日本人のエネルギーや造形美から日本人の美意識の独自性に気付きました。ここから縄文の作品が一挙に美術品として見直され、紀元前１万年に亘る縄文文化の優れた価値が一般に認められるようになったと思います。そこには前衛的とか奇想天外とか思われますが、当時の日本人のエネ

多磨霊園にある岡本太郎の墓の前で

ルギーや祈り、生への躍動やぬくもりが感じられます。私が以前住んでいた小金井のマンションは多磨霊園の近くで、お花見の時とかよく出入りしていましたが、そこに岡本家の御墓があります。父親の岡本一平の御墓「顔」は岡本太郎の創作でひときわ人目を引く黄金の顔のような顔が付いています。現在は岡本太郎自身の御墓「午後の日」の両腕で支えた笑顔も向かい合って並んでおり、お花見の時期に「芸術は爆発だぁ～」のエネルギーをもらいに一度訪れて見てください。

火焔型土器は縄文国宝の双璧

新潟県笹山遺跡出土深鉢形土器57点と国宝附の土器・土製品類72点、石器・石製品類７９１点およびベンガラ塊８点（考古資料39）は新潟県十日町市博物館で見られます。口径が28㎝から34㎝、高さが27㎝から35㎝の煮炊き用の鉢です。時代は縄文中期の５０００年前と推定されます。そのうち14点が火焔型土器で３点が王冠型土器と呼ばれています。その土器の特徴は土器の縁に鶏冠《とさか》や王冠のような突起状の取っ手部分とのこぎりの歯のような突起が付いており、U字やS字の文様が刻まれています。典型的な火焔型土器は新潟県内の津南町や長岡市で集中して発掘されています。国宝の57点の土器は定期的に順次10点程度は展示されています。中でも火焔型土器ナンバーワンと言われる「縄文雪炎《ゆきほむら》」の展示の期間がお薦めです。その辺りも大地震が多いところで、ピアノ線で厳重に揺れ止めがされて展示されています。

第5章

国宝探訪のトリビア

Q27 国宝探訪に関して知っておけばお得な情報はありますか？

すこし堅い話はお預けにして、ゆるキャラ気分で、国宝と国宝探訪にまつわる、トレビアではなく、トリビアをご紹介したいと思います。私は長い間トレビアと思っていました。多分テレビ番組『トリビアの泉』をローマの噴水トレビの泉と関連付けて勘違いしてしまったのではと思いますが「皆さんは大丈夫ですね」トリビアが正解です。英語でＴＲＩＶＩＡですので、ラテン語で三つの道を意味する言葉が由来で、いわゆる三叉路ですが、これは古代ローマ帝国では非常に多くて、どこにでもある、ありふれた場所という意味合いを持ち、転じて瑣末なこと、くだらないことという意味になり、さらに無駄な知識とか無用な知識、雑学的な豆知識という言葉になりました。ということで、国宝のトリビアでゆったりリラックスして頂ければと思います。

博物館・美術館にお出かけになるときは

博物館・美術館にお出かけになる時の心得として、まず１００円玉は持っていきましょう。返却式のコインロッカーが備え付けられていますので、リュックやカバンなど嵩張るものは美術品を傷つける恐れがないとは言えませんので、コインロッカーに預けておきましょう。館内は身軽に動ける態勢にしましょう。どこもキャッシュレスが多くなってきましたが、コインロッカーがキャッシュレスになったとの話は聞いたことがありませんので、１００円玉１個持って出かけましょう。

次にメモを取るには鉛筆を持っていきましょう。ボールペンやシャープペンは作品を傷つけたり汚したりする恐れがあるとして使用禁止です。万年筆はインクが飛ぶので禁止です。でもいつも思うのですが、大抵国宝はガラスケースの中にあるので、博物館も美術館も神経質すぎないかと心の中でクレームしています。過去の事故や事件の例からなかなか変えられないのだろうと思います。特に京博はそうした事件が多かったこともあって「もしもし、お客様、ボールペンは禁止です。この鉛筆を使ってください」と日本の発明品でゴルフ場でスコア用紙にスコアをつける時に使うペグシルを渡されます。「有難う」と返事をしつつも、この鉛筆だって先は尖っているしあまり変わりないのではとつぶやいています。鉛筆の黒鉛とボールペンの油性では消すのに違いがあるのでしょうね。

それからA4ファイルも持参するか、ミュージアムショップで購入して用意したら便利です。展覧会のチラシや出品目録を手の汗や脂で汚さずに保存するのに良いと思います。展示目録は見た時の印象や音声ガイドの説明の新情報を書き込むのに役立ちます。会場では意外と照明を暗くしているので、なかなかメモしにくい場合もあります。その時は競馬の予想ならぬ◎○△×など構いませんので、素晴らしい、気に入った、イマイチ、好きじゃないなど、印を残しておくと後で役立ちます。そのメモの中には「余りにベタ塗りで深みがない、これ国宝なの」といった走り書きも残っています。

さらには単眼鏡でも双眼鏡でも、繊細な色の表現やディテールの描写、目にはよく見えない仏様の衣の文様やかすかに残った彩色などを確かめるのに必要です。刀剣の刃文や匂いや彫られた銘を見る時にも楽に見えます。国宝　太刀銘三条　名物三日月宗近（工芸品12）の刃文の三日月も大きく見えました。

特に東博では寄託品は撮影禁止ですが東博の所蔵品は全て写真撮影が出来ますので、カメラもスマホもお忘れなく。フラッシュは厳禁ですので、暗くてもよく写る好感度のモノが良いと思います。

そして勉強して知識を詰め込んでから見に行くのも大切ですが、まずはリアルに国宝を体感するぐらいまでじっくり見ることから始めましょう。１度展示品を最後まで見たら、国宝だけにもう１度戻って、少し遠めから鑑賞してみると新たに気付くこともあります。私は必ずそうして、１粒で２度美味しいやり方をしています。

また美術館・博物館には素敵なカフェやレストランが付いていることが多く、鑑賞後には気楽に立ち寄れます。東博のホテルオークラ経営のゆりの木とガーデンテラス、東京都美術館のレストランミューズ、レストランサロン及びカフェアート、アーティゾン美術館のミュージアムカフェ、徳川美術館の宝善亭などはゆったりとした空間に居心地の良い雰囲気、お手軽で美味しい軽食や料理が提供されますのでお勧めです。

国宝探訪には交通費・チケット代節約術を

日本全国を飛び廻りますので、交通費も馬鹿になりませんから、ひたすら倹約、節約に努めています。少なくとも男女とも65歳以上ならJR6社共通のジパング倶楽部に加入すれば30％割引になります。JR東日本の地域ならば男性も女性も50歳になれば大人の休日倶楽部を活用されている方は多いと思います。只、残念なのは「のぞみ」と「みずほ」に乗れない点ですが、タイムリッチになったので少しは我慢です。令和4年（2022年）まで夫婦で満88歳になればグリーン車乗り放題の「フルムーン」がありましたが、団体旅行客に利用されるだけでJRにうまみがなくなったので中止になりました。「のぞみ」と「みずほ」は乗れませんでしたが、グリーン車は快適だったので残念です。

JRの遠距離では往復割引10％を活用する知恵も必要です。片道600㎞を越えて往復すれば10％割引になります。私が住んでいる国分寺から東京駅経由で奈良や大阪には587㎞〜8㎞で600㎞を越えません。しかし八王子や高尾からの出発にすれば奈良や大阪では６０５㎞～９㎞となり往復割引分10％安くなります。また新幹線も東京～京都間と東京～新大阪間は同額の新幹線特急料金ですので知っておけば活用の機会もあります。

飛行機会社は満65歳以上であれば「当日シルバー割引」や「スマートシニア空割」があり、その日によって変動しますが、日本国中およそ大阪１１０００円、札幌１８０００円、福岡１８０００円、沖縄１８０００円程度で飛べます。繁忙期と繁忙路線以外は大体このレンジで、繁忙期と繁忙路線では高く設定されていますので事前にチェックしてください。これでは予約が出来ず行き当たりばったりですが、余程のことがなければ当日席が1、2席は空いていますので乗れると思います。また日帰りであれば帰りの便は往きの空港で空席確認が出来れば発券してくれますので、少し安心です。時期的にはGWやお盆、年始年末、時間的には金曜日の夕方は避けた方が良いと思います。でも数多くの友人からは次の1便を待てば乗れなかったことはないと聞いています。自分の経験では、平成27年（２０１５年）９月阿蘇山が噴火した時に、熊本空港が閉鎖され福岡空港行きの満席が続いた時は慌てました。

また美術館・博物館の入場券も最近はお安くありませんので、是非とも前売券や株主招待券などの活用を心掛けて頂きたいのです。国立博物館に関し、令和2年（2020年）からお得な制度は変わり、東博の友の会は1年有効で7000円になりました。国立博物館4館共通で平常展は何度でも観覧可能、東博の特別展無料観覧券3枚、京博・奈良博・九博の特別展は団体料金、通常は200円から300円引き程度で入れます。ミュージアムシアター観覧券1枚も付き、レストラン、カフェ、ショップでも割引が受けられます。でもお得感は薄らぎました。各国立博物館のメンバーズパスでは4館の平常展は何回でも、特別展は団体料金と同じく200～300円お安くなります。東博、京博、奈良博いずれも年間2500円です。九博だけがメンバーズプレミアムパスと称して3800円で九博のみ特別展を4回無料です。特別展の展示替えや前期後期に2回出かけるときは有効で、地元の方にとってはお得感があると思います。地元でないと年4回特別展に九州大宰府まで出かけることも難しいと思います。シニア層の入場者が圧倒的に増えて割合が半数近くになってきたので、収入減となる割引をしなくても来てくれると強気になったのではと邪推しています。

最近65歳以上はシルバー割引や無料とする都道府県及び市立の美術館や博物館が一時増えましたのでチェックしてください。でも一方で高齢者が大幅に増えたことで強気の美術館はシルバー割引がないところが多くなりました。でも皇居三の丸尚蔵館は高校生以下も満70歳以上も無料で完全予約制ですから、お勧めです。またＪＡＦ会員割引の美術館などはありますので、お出かけの際はカード持参をお忘れなく。

もう一つ、博物館・美術館は通常月曜日（月曜が祝日であれば翌日）が休館日です。それは博物館法で日曜日や祝日は開館するようにとの指導があるので、次の月曜日をお休みすることにつながっています。たまに月曜日に開いている美術館もあります。展覧会期間中は無休とか、不定期な美術館もあります。珍しく国立新美術館、サントリー美術館、東洋文庫ミュージアムは火曜日が休館日ですので、逆に火曜日に出かけて失敗した経験があります。京都大学付属図書館も展覧会期間中は無休かと思い、火曜日に京都まで出かけたら生憎当日が休館日だったという苦い経験があります。でも今は夏季冬季休業期間のようで平日土日祝日も全部開いているようです。

地方の交通機関の御注意をあれこれ

国宝の拝観や見学に全国を巡りますが「へぇ」と思うことに出くわします。まずはJRや私鉄の駅名やバス停の名前に漢字一文字のところが案外多く、「それ普通名詞じゃん」と思う駅名です。漢字一字のJRの駅名で有名なのは「津」とか「鮫」とか「森」ですが、国宝のある田舎に行くとバスの停留所には地元では昔はそう呼んでいたのだろうなと思う、普通名前の停留所が数多くあり楽しくなります。「町」「里」「山」「岡」「峠」「滝」「谷」「市」「川」「畑」「関」「社」などそこで周りを見回せば確かにという風景です。「社」などは岡山だったと思いますがまさしく神社の横でした。珍しいところでは「雷」「芝」「米」「月」「釜」「藤」二文字では「山国」「鳥居」「手形」「左右」とか、その辺りでは特徴を捉えて長年そう呼ばれてきたんでしょうね。国宝　朝光寺本堂（建造物166）を見に神姫バスに乗って兵庫県加東市を走っていたら「カメオ砕石」と看板が出ていたので日本でもカメオが取れるのだ、ブローチでも買って帰ろうかと期待しました。でも次の停留所は「亀尾」でした。すぐ近くに大きな採石所がありました。ちなみに朝光寺本堂は最寄りのバス停朝光寺口よりさらに徒歩約1時間もある御免なさい片田舎でした。それでも朝光寺にはボランティアガイドがいらっしゃって充実した国宝探訪でした。

地方に出かけると、都会に住んでいるから気付かない交通機関のシステムの違いがあります。地方の電車は、特に寒い地方と暑い地域では、社内の冷暖房の効きが悪くなるので、停車してもドアが自動開閉しません。扉近くの車体の外側の開閉ボタンを押して乗ったり、社内の開閉ボタンを押して降りたりしなければなりません。待っていても自動では扉が開かないので乗る時も降りる時も焦ったことがあります。ドアの右側の「開」「閉」のボタンがあるかないか確かめておきましょう。大概は気付いた地元の乗降客が助けてくれますが「開けたら閉める」マナーも守りましょう。乗る時に開けてもそのままでは閉まりませんので、寒いとか暑いと他の乗客から注意されないうちにすぐに閉めましょう。またワンマン電車に乗ると無人駅では最前列車両の前方の運転手のいる扉からしか降りられませんのでご注意です。

Ｓｕｉｃａなどの交通系ＩＣカードが全国共通で地下鉄でもバスでも使えるよう

になり便利になりました。それでも田舎に行くと無人の駅は沢山あります。無人でもカードをかざして乗降する駅も出来ましたが、国宝の豊楽寺薬師堂（建造物100）を見に行った時は、全く無人の土讃線大田口駅では駅前のタバコ屋が駅の切符も切手も売ります、という仕組みになっていました。

また田舎のバスには注意してください。オンボロ車と言っている訳ではありません。まず本数が少ないので必ず帰りの停留所の場所と時間を確認してから目的の国宝の場所に向かうようにしてください。降りた停留所の道路の反対側にあると思い込んでいると意外と帰りの停留所は少し離れた場所に設けられていることが多いのです。降りたバス停と帰りのバス停は普通では道路の反対側のはずが、北海道博物館に行った時は同じ場所だった経験をしました。交通量が少ないのでバス停を節約したようです。従って、降りる時には必ず運転手に帰りのバス停を聞いて教えてもらうと安心です。もう一つ、必ずそこに行って帰りのバスの時刻表を確認しておくとさらに安心です。1時間に1本なら良いのですが、国宝が残っている山の中や奥里にはバスは午前と午後各1本しかない路線も色々と経験してきました。1日に4、5本のところも少なからずありますし、そんなところはタクシーなんて走って

福井県敦賀市の常宮神社の国宝朝鮮鐘が納まる宝物館の前で

いないところも多いと思います。そうでなくても、１本乗り遅れると1時間2時間来ないことはざらにありますから、念を入れて確かめるようにしています。敦賀湾に面した福井県敦賀市常宮神社に国宝の朝鮮鐘（工芸品78）を見に行った際も、飛騨高山市の安国寺に国宝の経蔵（建造物２１３）を見に行った際も、宮司や住職のお話を伺うのが楽しくて長居をしてしまいました。慌てて突然「バスの時間が来ますので、ここで失礼します」と中座した経験があります。どちらの宮司も住職も親切にも自家用車で駅まで送りますからと助けて頂きました。有難う御座いました。

常宮神社の朝鮮鐘は朝鮮から直接伝来した梵鐘で太和7年（833年）新羅の蓮池寺の鐘として製作されたものを、豊臣秀吉の朝鮮出兵の戦利品として持ち帰ったと言われています。それを秀吉の命により大谷吉隆が奉納した経緯のようです。胴回りに天衣を翻す飛天が2体浮き彫りに彫られています。特徴的には鐘の上部に円筒形の旗挿があって、当時はここに旗を挿したと思われます。その来歴から最近になって韓国からの返還請求が繰り返し届いており、一般には公開されないことになっています。そこを何とかと宮司さんにお願いにお願いを重ね、国宝探訪全件制覇を目指していることも話して、最終的には快諾して頂きました。高さ112cm口径67cmの比較的小ぶりの梵鐘です。平成27年（2015年）春の選抜野球選手権で優勝した敦賀気比高校が行く途中にあります。伺った時はホットな話題でした。特にベンチ控え背番号17の松本選手の神懸かり的な準決勝の2打席連続満塁ホームランと続く決勝で優勝を決めたホームランは余りに鮮烈な記憶で、この話題から入ったことを覚えています。常宮神宮でトイレに立ち寄ると実際の手洗いは「下の清流でお願いします」との案内板が出ているのも清浄の地のようで嬉しくなったもので

飛騨高山の手押し輪蔵がある国宝安国寺経蔵の階段で

した。

安国寺経蔵は応永15年（１４０８年）に建立された経典を収めた蔵ですが、特徴的には内部の八角形の経庫に真柱を中心として人力で押して廻転させる装置の輪蔵が付いています。若住職に「どのくらい力がいるか試しに押してみたいのですが」とお願いしたら、特別に許されて押してみました。最初はかなり力を入れないと動きませんが、動き出したらスムースな回転になりました。重い歴史を回転させたようないい経験になりました。有難う御座いました。

もう一つご注意は田舎のバスが時刻表通りに来ると思ってはいけないということです。遅れて来る場合は最悪でも乗れますが、多くは時間より早く来る可能性があるということです。これは困ります。私も苦いというか痛い経験があります。予定の10分前には停留所に来ていたのにバスが定刻を30分過ぎても来ません。田舎のバスは途中の停留所で乗降客がいないと通過していきます。長い路線を走ってくるとどうしても定刻より5～10分ほど早く来ることはよくあります。客がいなければ定刻まで待ってくれません。従って帰りは定刻より15分ぐらいは早く停留所に戻るように心掛けると安心です。関市の百年公園にある岐阜県博物館に来振寺所蔵の国宝五大尊像（絵画157）を見に行った時は、山から下りて田んぼ道を歩いているとバスが走っていくのが見えました。まだ15分以上はあるのに、でも心配をしながら停留所で待ちましたが2時間バスは来なかったという悲劇も経験しています。京都市内のバス停は次のバスの所在が示される電光案内板がついていますのでイライラと気を揉まなくて随分と済むようになりました。

第6章

権力の中心　天下人の国宝

大河ドラマにまつわる国宝

国宝をパトロンの観点、パトロンとは経済的に恵まれた人や権力を持った人が、金銭的にも人脈的にも芸術や芸術家を支援する人のことですが、明治以前は主に権力を持った人が富も蓄えることが多く、どうしても権力者が大小はあれ、芸術や美術品の庇護者であったことは間違いありません。勿論、天皇や公家、寺院や神社、などは当然パトロンですが、芸術などとは真逆な軍事力を持って権力の座に上った権力者が、天下統一に邁進しつつ一方では芸術を認め愛でる庇護者を意識した時代、つまり戦国時代から始めたいと思います。

ＮＨＫ大河ドラマでは戦国時代に大名にのし上がってゆく、天下人を目指す物語は、視聴率を確実に稼げることもあってよく取り上げられます。時代順に並べますと昭和40年（１９６５年）第3作『太閤記』の豊臣秀吉、昭和44年（１９６９年）第7作『天と地と』の上杉謙信、昭和48年（１９７３年）第10作『国盗り物語』の斎藤道三と織田信長、昭和58年（１９８３年）第21作『徳川家康』、昭和62年（１９８７年）第25作『独眼竜政宗』の伊達政宗、昭和63年（１９８８年）第26作『武田信玄』、平成４年（１９９２年）第30作『信長ＫＩＮＧ　ＯＦ　ＺＩＰＡＮＧＵ』、平成８年（１９９６年）第35作『秀吉』、平成９年（１９９７年）第36作『毛利元就』、平成12年（２０００年）第39作『葵　徳川三代』徳川家康・家忠・家光、平成14年（２００２年）第41作『利家とまつ』の前田利家、平成26年（２０１４年）第53作『軍師官兵衛』の黒田如水、そして令和５年（２０２３年）第62作『どうする家康』と続いています。平成28年（２０１６年）第55作『真田丸』の真田幸村や令和２年（２０２０年）第59作『麒麟がくる』の明智光秀の例のように、乱世を生き延びれずに終わると美術品を蒐集しても後世に残すことが出来ないで終わったケースも数多くあります。

Q28　室町時代には文物愛好家の将軍がいませんでしたか？

足利幕府の将軍たちは立派な国宝のパトロンでした。３代将軍足利義満が造営した花の御所が京都北小路室町にあり、室町通に面して正門が設けられたので室町殿と言われ、将軍の住まいゆえに室町幕府と呼ばれました。鎌倉も江戸も大まかな地名に設営されましたが、室町幕府はピンポイント京都御所の近くの室町だけを指すことは知りませんでした。その花の御所跡を求めて室町通りを今出川通りから丸太町通りまで、最初は道すがら通行人数人に聞きましたがご存知なく、老舗のお菓子司や味噌屋などに飛び込んでお聞きしましたがどなたも場所をご存知ない。思い切ってＹＭＣＡで聞いたら教えられたのは13代将軍義輝と15代最後の将軍義昭の住居跡の二つの碑でした。室町通りにお住まいでもご存知ないので室町幕府の人気のなさを実感したように思いました。最終的には老舗のお香屋さんで質問している時にお店にいた観光客から教えて頂きました。その場所は烏丸通りの同志社大学の反対側にある大聖寺で、その境内に碑がありました。室町幕府の8代将軍足利義政によって中国伝来の墨蹟、絵画、茶器、花器、文具などが珍重され、東山御物《ぎょもつ》と呼ばれました。義政がよく訪れた山荘が東山の地にあった故に名付けられました。義政の祖父にあたる3代将軍義満や父の6代将軍義教らは、明との貿易により宋や元などの中国絵画、いわゆる唐物を収集し、義満の法名や道号を意味する「天山」「道

室町幕府東山文化の象徴的建物銀閣寺観音堂の前で

有」の鑑蔵印が押され、義教は「雑華室」を捺しています。また義政のもと唐物の管理や鑑定を行っていた能阿弥が、現在東博所蔵の280幅に及ぶ「御物御画目録」を編纂し材質や形態などの分類を行い、画家や画題、絵に称賛文などを書いた賛者などを記しました。また、能阿弥が東山御物について選定し評価し、相阿弥が大成させた中国画観賞の秘伝書「君台観左右帳記」は東北大が所蔵しています。大変な参考資料です。その「天山」「道有」の印が押されている東山御物には国宝3件、重文6件があります。この東山御物はそのまま残ることはなく、応仁の乱により散逸したり、諸大名に下賜されたり、幕府財政難のために売却されるなどして、残念ながらそのまま行方不明になったものも少なくありません。東山御物から残った遺産として、国宝　夏景山水図（絵画１１７）は北宋の第8代皇帝ながら北宋最高の芸術家だった徽宗の筆と伝わる山水画が山梨県久遠寺に所蔵されています。国宝　秋冬山水図（絵画１１８）は秋景と冬景の2幅からなり、南禅寺塔頭の金地院に伝来しています。御物御画目録には「4幅　山水　徽宗皇帝」と記されていますので、当然春景山水図もあったと思われますが、残念ながら行方不明となっています。この三景山水図を観ていると、断崖に生える松の木々を揺らす風の声が聞こえてきますし、空を渡る鶴の鳴き声や木にうずくまる猿の遠吠えが聞こえてくるような、自然の静謐さを音で見事に表現しているような気がします。一緒に見に行った女房殿と鶴がどこに何羽飛んでいるか、猿が木のどこに隠れているかを探す競争をしたことを覚えています。見つけるのに苦労しますが、秋景山水図断崖の木の上に猿が、冬景山水図向って左の空に鶴が2羽飛んでいるのを見つけました。もう一つは中国南宋の宮廷画家の最高位にあった梁楷筆の国宝　出山釈迦図と雪景山水図2幅　計3幅（絵画４）は東博にあります。釈迦が修行を重ねたにも拘らず悟りを開けなくてトボトボ山を降りる図ですが、その雰囲気が伝わってきて、言いすぎかもしれませんが失意の人間味溢れる姿が胸に迫ります。

この室町幕府の将軍のコレクションに影響を少なからず受けた戦国大名につながっていきます。

Q29 織田信長は戦国時代に戦闘に明け暮れていて文化的には何も残していないのですか？

戦国時代の革命児織田信長ゆかりの国宝

志半ば本能寺の変で亡くなったため国宝が沢山詰まっていた安土城も焼失してしまい、残念ながら信長ゆかりの国宝がまとまって残っているところはありません。信長は一級美術品の価値は分かり、その使い方も心得ていたと思います。そのためエピソードとともにあちこちに数多くの信長ゆかりの国宝が残っています。米沢市上杉博物館所蔵の、信長が上杉謙信の上洛を促すために贈った狩野永徳筆の国宝洛中洛外図　六曲屏風（絵画154）、東博所蔵の備前長船派長光の名刀で当時銭六百貫の破格の値段が付き、大般若経六百巻に値すると言われたことから大般若と呼ばれるようになり、足利将軍家から信長に渡った太刀銘長光　名物大般若長光（工芸品1）、同じく長船派長光の弟子真光の作で織田・徳川連合軍が武田を滅ぼした時に信長が家康の家臣酒井忠次に与えたもので酒井氏の領地山形鶴岡市の致道博物館に伝来した太刀　銘真光《さねみつ》（工芸品90）、福岡市博物館所蔵の信長から黒田長政に下賜された、棚の下に隠れた茶坊主を信長がお手打ちにした曰く付きの国宝　刀金象嵌銘《きんぞうがんめい》長谷部国重／黒田筑前守　名物へし切長谷部（工芸品97）、徳川美術館所蔵の備前長船派の実質的な開祖光忠の名刀で、織田信長は華やかな光忠の作を特に好んで20数振りを集めた中の一振り太刀　銘光忠（工芸品146）、同じく徳川美術館所蔵の明智光秀が本能寺の変のあと安土城から持ち出して家臣の津田重久に授けた、その後秀吉に仕え遠江守に叙せられたので名前が付いた太刀　銘長光　名物津田遠江長光（工芸品147）、備前国福岡一文字の名刀で次男の織田信雄に伝わり、小牧長久手の戦いの際に秀吉に通じた疑いがあった家臣岡田助三郎を手打ちに

福井県越前市織田の劔神社の
2014年当時の宝物館で国宝梵鐘とともに

したことから号名が付いた太刀　銘吉房　号岡田切（工芸品160）、などの数々の名刀が信長の手を経ています。

また織田の姓はこの地名から来ていると思いますが、織田家先祖の地、福井県越前町織田にある劒《つるぎ》神社に国宝の梵鐘（工芸品188）があります。この梵鐘は普通の鐘突き楼にあるのではなく、宝物殿の中にぶら下げてあります。社務所に行って国宝の梵鐘を見たいのですが、とお願いすれば、宮司さんが鍵を持って宝物殿を開けて頂けました。今は隣接する越前町織田文化歴史館に委託され常時公開されています。その梵鐘には神護景雲四年（770年）の銘文があり、第49代光仁天皇の奉納と伝わっています。このように信長ゆかりの国宝は沢山あります。

Q30 江戸幕府徳川家が国宝を一番多く所蔵していたのですか？

江戸時代の最大の国宝パトロンは江戸幕府徳川家

国宝の美術工芸品最大の所有者は当然徳川家と思われるでしょう。徳川御三家の紀州、水戸、尾張の中では、藩風の違いが国宝の数に影響を与えています。武辺の色彩の濃い水戸藩36万石には国宝がありません。紀州藩55万石には美術品の国宝はなく、紀州に藩主代々の墓がある菩提寺、和歌山県海南市の長保寺には大門（建造物131）、多宝塔（建造物130）、本堂　附厨子（建造物129）の国宝があります。それと比べると尾張藩62万石には8代将軍吉宗に対抗した尾張第7代藩主宗春の文化の息吹が脈々と残り、それが尾張徳川家唯一の宝庫として徳川美術館に伝来しています。徳川家末裔の第19代当主徳川義親が昭和10年（1935年）に開館し、国宝9件、重文5件を所蔵しています。高校時代この近くの旭丘高校生だった私は学校帰りのデート場所に徳川美術館を使わせて頂きました。美術館の中よりは広大な敷地内の公園や池のほとりでしたが、その意味でも徳川美術館は懐かしい場所です。その頃はそんなお宝が詰まっているとは思っていなかったのが残念です。

徳川美術館の国宝は何といってもこの二つが有名です。

まず源氏物語絵巻　全十五巻　絵十五段、詞十六段（絵画32）は昭和7年（1932年）に保存と公開の観点からこの方が良いだろうと桐箱の額面装に替え、絵と詞書を切り離し、絵15面、詞28面全43面になりました。ところが技術が進み、巻子装の方が空気や光を遮断し、折れの発生などを軽減出来るという見解がまとまり、平成28年（2016年）から5年かけて巻子本15巻に戻しました。これにより本来の絵巻物の味わい、絵と詞が隣同士で響き合う関係が戻りました。これは日本絵画の至宝です。元来は源氏物語54帖を10数巻程度の絵巻物として作成されたと考えられ、そのうちの数巻が鷹司家に伝来しました。幕末に鷹司家から尾張徳川家と蜂須賀家に子女が嫁ぐ際に嫁入り道具として贈られた絵巻が世の中に残ったという経緯です。尾張徳川家の分が徳川美術館に、蜂須賀家の分が五島美術館に伝来しました。五島美術館には源氏物語絵巻　全十三面　絵四面、詞九面（絵画34）の源氏物語3帖、第38帖鈴虫一、二、第39帖夕霧、第40帖御法《みのり》が伝わっています。つながっているので元は1巻だったのでしょう。只、当分は額装のままのようです。

一方、徳川美術館には源氏物語9帖、第15帖蓬生《よもぎう》、第16帖関屋、第17帖絵合、第36帖柏木一、二、三、第37帖横笛、第44帖河竹一、二、第45帖橋姫、第48帖早蕨《さわらび》、第49帖宿木一、二、三、第50帖東屋一、二、が伝来しています。これらは江戸時代には3巻だったことが分かっています。どちらも教科書で学んだ大和絵の二つの特徴的な手法で描かれています。絵師は伝藤原隆能で、視点を斜め上方に置き、屋根と天井を無視して柱と襖や几帳《きちょう》で室内を描写する吹抜屋台と引目鉤鼻《ひきめかぎばな》、長い黒髪と面長の顔に細い長めの目を引き、鉤状の、くの字形の鼻をつけてふっくらとした顔の輪郭を生かす描き方です。光源氏や女御の顔が平安の雅を醸し出します。蛇足ながら源氏物語絵巻が2000円札の絵に使われていることはご存知だと思いますが、では絵巻のどの場面でしょうか。２０００円札をお持ちでしたらすぐ分かります。38帖鈴虫です。さらに紫式部がお札の肖像画に使われていることをご存知ですか。これも２０００円札に御簾の陰から引目鉤鼻の顔を覗かせています。

徳川美術館のもう一つ有名な国宝は初音の調度と呼ばれる婚礼調度類（工芸品２５４）です。寛永16年（１６３９年）尾張徳川家２代藩主光友に、３代将軍家光の長女千代姫が２歳半で嫁いだ時の嫁入り道具一式です。源氏物語23帖初音の中の明石の上が実の娘の明石の姫君に贈った和歌「年月をまつにひかれてふる人に今日うぐいすの初音聞かせよ」をモチーフに、庭園や屋敷の情景を蒔絵で描いています。幕府のお抱え蒔絵師幸阿弥家第10代の長重が徳川の威信にかけて制作した婚礼道具の最高傑作です。初音の蒔絵調度、貝桶・鏡台・文台・硯箱など47種、24帖胡蝶の蒔絵調度10種、蒔絵香箱５合、蒔絵伽羅割道具１対、長持２棹、長袴２腰、長刀１対、糸巻太刀１口、脇指拵１口から成ります。彫金師の超絶の腕前の冴えに魅入られてしまいます。素人としてはうぐいすがどこにとまって初音を聴かせているかを見つけるのも楽しみです。

平成30年（２０１８年）秋の特別展、徳川美術館所蔵のすべての刀剣を展示する

「名刀紀行」に行きました。国宝　初音の調度の中に含まれる太刀銘国宗や長刀2振りも並んでおり、物凄い数の刀剣が展示され圧倒されてしまいました。徳川美術館には東博の19振りには及びませんが、大名家ナンバーワンの刀剣7振りが国宝です。短刀　銘吉光　名物後藤藤四郎（工芸品141）は最初金銀座元締め後藤庄三郎が所持していましたが、土井利勝に召し上げられてそのまま家光に献上され、それを尾張2代藩主光友に贈られたものです。刀工は粟田口の籐四郎吉光であったことから、最初の所持者と名工の名前が合体して名物名が付けられました。名物とは刀剣そのものの姿や形、出来が優れていることを前提に、刀剣にまつわるエピソードがあって尚、身分の高い人が所持したという来歴がある場合に付けられます。太刀　銘来孫太郎作（花押）正応五□辰八月十三日以下不明（工芸品142）は家康が九男の初代尾張藩主義直に伝えたもので、来孫太郎は俗称で、それが銘として彫られた唯一の太刀です。尚、以下不明は銘が読み取れないのをそのまま文化庁のデータベースで採用しているので。そのまま使いましたが、貴重なのは製作年が正応5年（1292年）と分かり花押が残っていることです。太刀　銘国宗（工芸品143）は尾張藩第2代藩主徳川光友が次男の義行を美濃の高須藩初代藩主として出す際に与え、今度は逆に高須藩第３代藩主の宗勝を第８代尾張藩藩主に迎えた際に宗勝が持ち帰った経歴の太刀です。短刀 無銘正宗　名物庖丁正宗（工芸品１４４）は短刀の刃が大ぶりで包丁に似た正宗の名刀です。他にも永世文庫の庖丁正宗（工芸品70）と個人でお持ちの庖丁正宗（工芸品73）の２振りがあります。正宗は技量の自信から銘を刻むことはしませんでした。正宗を持つことが格を上げるというので大名家には数多くの贋作の正宗が大切に保存されました。太刀 銘正恒（工芸品１４５）は延享2年（１７４５年）第８代将軍吉宗が隠居の際の挨拶に尾張藩第８代宗勝の嫡子宗睦、後の９代藩主に贈られました。正恒は正宗の９件に次ぐ国宝の多さで６件を数える名工です。太刀 銘光忠（工芸品１４６）は５代将軍綱吉が尾張徳川家の江戸屋敷に御成りになった際に尾張第３代藩主綱誠に進呈されたと伝わっています。太刀 銘長光　名物遠江長光（工芸品１４７）は信長の愛刀でしたが明智光秀の手に落ち、光秀は家老の津田遠江守重久に授けました。明智滅亡後、加賀藩４代藩主前田綱紀に渡り、それを5代将軍綱吉に献上、さらに６代将軍家宣から第４代尾張藩主吉通に贈られたという、戦乱絵巻さながらの数奇な運命を辿っています。刀は霊力が備わり武士の魂の拠り処になることから、献上や贈答するにも下賜や拝領するにも都合の良い美術品だったことがよく分かります。

名古屋城は旧国宝第一号でした

尾張徳川藩の名古屋城は昭和20年（1945年）5月大空襲で焼け落ちてしまいました。333年間名城として聳えてきました。家康の命により天下普請として築城され、最も高度な技術を要した天守閣石垣は加藤清正が築き、慶長17年（1612年）に天守が完成しています。天守の屋根には金の鯱が載りましたが1匹現在の価格で11億円に相当する金が使われました。昭和5年（1930年）には宮内省より名古屋市に譲渡され、城郭として初めて旧国宝第1号に指定されました。戦後建て直されたコンクリート製の名古屋城も老朽化と対震強度不足で再度建て直す時期が来て、高校の1年後輩の河村名古屋市長は何としても史実に忠実な木造で復元すると主張しています。でも障害者用にエレベーターを付けるか否かが問題になっています。史実に忠実とは、宮内庁下賜時に昭和実測図309枚、旧国宝指定時に撮った700枚のガラス乾板写真とさらに江戸時代尾張藩士奥村家に伝わる名古屋城の百科事典「金城温古録」に詳細内部見取り図などが残っているのでそっくりそのまま復元出来るからです。こうした資料が文化庁の復元基準を満たしています。でもエレベーターを設置したら復元基準から外れてしまうのでしょうね。令和10年（２０２８年）10月の完成を待ちましょう。既に隣接している本丸御殿は10年かけて平成30年（２０１８年）に復元され公開されています。特に家光宿泊のために建築された上洛殿は贅を凝らしていますが、徳川時代２６５年の間にここに泊まった将軍は家光２泊家茂１泊の二人で３泊という勿体なさです。現在の名工たちによって４００余年前の狩野探幽工房の襖絵を、欄間彫刻は井波彫刻協同組合が取組み見事に復元させています。実は空襲があることは予想して名古屋城と本丸御殿の襖絵など約１０００面は取り外して運び出していましたので、実画が残っています。褪色や破れなどを修復して本来の状態に戻すと同時にレプリカも制作しました。実画では狩野探幽作の「雪中梅竹鳥図」の雪の枝にとまっていた雉が切り取られていたのをレプリカでは再現していますので、是非お出かけ頂いてお楽しみください。枝の上の雉の体と枝の下の尻尾のつながりが少し不自然に見えましたが、皆さんにはどう見えるでしょうか。

徳川幕府の威信をかけた二条城

その名古屋城本丸御殿が元のままの状態で現存するのが、徳川家の威厳を示す二条城です。徳川家の威信を示す三つのお城は消失しました。大阪城は落雷で焼失、江戸城は天明の振袖火事で全焼してしまい、名古屋城が戦前まで唯一残ったのですが終戦直前に空襲で炎上してしまいました。また明治6年（1873年）の太政官達によりどのお城も廃城か取り壊しの憂き目に遭っていますが、姫路城と名古屋城を残すように進言した山県有朋と彦根城を残すように明治天皇に訴えた大隈重信は国宝のパトロンです。皇居の江戸城本丸跡近くには播磨赤穂藩藩主の浅野内匠頭《たくみのかみ》の刃傷事件があった松の廊下の碑が建てられています。現存していればあの松の木の襖絵は国宝になっていたかもしれません。

慶長8年（1603年）3月に落成した国宝　二の丸御殿（建造物75）6棟は徳川将軍家の威光を今も唯一見ることが出来る建造物です。徳川幕府の始まりと終わりを見取った場所でもあります。二条城の最初の歴史的登場は、慶長8年

（1603年）完成直前の2月に家康が伏見城で征夷大将軍補任《ぶにん》の宣旨を受け、慌てて竣工間もない二条城に入城し3月25日に室町幕府以来の慣例に基づく御所に行列で向かう拝賀の礼を挙行しました。入口から紹介しますと、牛車《ぎっしゃ》の御所車がそのまま中に入れる広さと石の目地が縁に対して45度の斜めになるように敷かれた四半《しはん》敷《じき》の玄関である車寄、及びそれに繋がる参上した大名や客の控えの間である5部屋からなる遠侍、この遠侍の一の間で家康は慶長16年（1611年）豊臣秀頼を謁見しています。三の間は虎の間ともいわれ徳川家の威光に三方からランランと睨みつけられる仕掛けになっています。次が老中たちの詰め所となる4部屋からなる式台、ここで将軍家への献上品の取り次ぎをしました。その奥に将軍が諸大名と対面した部屋で最も格式の高い大広間があります。その二の間は寛永3年（1626年）行幸された後水尾天皇が南庭に造られた能舞台で演じられる能を観劇された部屋です。一の間が慶応3年（1867年）10月15代将軍慶喜が諸藩の重臣を集め、大政奉還を発表した歴史的な部屋です。さらに佐賀鍋島藩初代鍋島勝茂が献上した蘇鉄が部屋の前に植えられた蘇鉄之間、黒書院は将軍と親藩大名や譜代大名の内輪の対面所として使われました。大広間より狭いので小広間とも呼ばれました。白書院は御座の間とも呼ばれ、将軍の居間であり寝室だった部屋です。国宝附の黒書院と白書院間の渡り廊下も鴬張りでキュッキュッと音がします。以上の6棟が国宝です。蛇足ですが、勿論二条城にも天守も本丸御殿もありました。創建時は伏見城から移築された五層の天守閣が聳えていたのですが、寛延3年（1750年）に落雷のため両方とも焼失しています。二条城の南西隅に天守跡の石垣は見つけられると思います。その当時米沢市上杉博物館にある狩野永徳によって描かれた国宝　洛中洛外図屛風（絵画154）の左隻にも、東博にある岩佐勝以《かつもち》通称又兵衛によって描かれた国宝　洛中洛外図屛風（絵画160）の左隻にも天守の威容が描かれていますので。

尚、現在の本丸御殿は旧桂宮邸を明治27年（1894年）に移築したものです。

家康公が神となった日光東照宮にも多くの国宝

日本の神社約8万社の中で春日大社、厳島神社に次いで国宝の数が多いのは、日光東照宮です。全ての建物併せて1件の国宝ではないのです。建造物8棟が5件の国宝に指定されています。本殿、石の間及び拝殿　附銅箱入供養具9箇、旧妻戸2

枚、箱入大工道具一具（建造物32）、正面及び背面唐門2棟（建造物33）、東西透塀2棟（建造物34）、陽明門　附旧天井板2枚（建造物35）、東西廻廊2棟　附潜門（建造物36）です。加えて美術品としては太刀　銘国宗（工芸品41）と太刀　銘助真（工芸品4）があり国宝は全部で7件になります。

東照宮は徳川家康の霊廟で、家康の遺言により元和3年（１６１７年）に久能山から日光に移されました。社殿は祖父を熱烈に崇拝する三大将軍家光により、費用お構いなしと全面的に造り替えられ、寛永13年（１６３６年）に完成しました。本殿・石の間・拝殿からなる権現造り形式で、陽明門なども含め、彫刻・漆塗り・彩色・飾り金具などの装飾と建築が一体化し、徳川幕府の造形と意匠の集大成、人智の結晶です。と言ってもキンキラで、ゴチャゴチャで権威主義と成金趣味の権化と毛嫌いされる方も多いかもしれません。でも細部をよくご覧になってから再度そう思われるか一度お試しください。東照宮の建造は大棟梁の甲良宗弘で、芝増上寺も上野寛永寺も手掛けた名人で、左甚五郎の娘婿でもあります。彼が使った大工道具一式が国宝附に指定されています。１日中見ていても決して飽きないという別名　日暮門、ここには故事や聖人などの５０８体の彫刻とその間をつなぐ牡丹唐草、波、七宝つなぎなどの地紋と呼ばれる１３２の文様彫刻が施されています。一つ一つ見ていたら本当に日が暮れます。平成25年（２０１３年）６月から12億円を投じた平成の大修理で、彫刻の彩色し直しや漆塗り直し、飾り金具の修理などで美しく蘇りました。陽明門西側の扉の浮き彫りの牡丹の羽目板を外したら、２１５年ぶりに大和松岩笹と巣籠りの鶴の絵が発見されました。平成の修理が終わって覆いの羽目板は戻されましたので、次の50年後の大修理まで見られません。平成30年（２０１８年）３月から4年ぶりに大修理後の陽明門が一般公開されましたので、すぐ昔のままの鮮やかな羽目板絵を見に行きました。色が鮮やかに残った鶴でした。「完成した瞬間から崩壊が始まる」という言い伝えからわざと未完成の部分を残した柱を皆さんお見逃しがないように、裏側の左手2番目の柱です。魔除けの逆柱と呼ばれお猿の顔のような渦巻状のグリ紋が逆になっており、災いを避ける神通力に溢れています。

左甚五郎作と言われる、三猿や眠り猫もよくご覧ください。徳川家康が眠る奥宮に向かう東廻廊の蟇股にある国宝の眠り猫は左側から見ると今にも飛びかかりそうな気配を感じます。飛びかかる先は裏側に彫られている庭で遊んでいる三羽の雀です。只、今回の60年ぶりのお色直しで眠り猫は目を閉じた状態から目を開けた姿に史料に基づき戻したそうです。でも「眠り猫は名前の通り眠っていた方が良いと思います」と雑誌にも書きましたが、同じ感想の方が多かったのでしょうね、猫は1ヶ月半後にまた目を閉じて眠り猫に戻りました。陽明門外側の馬小屋の神厩《しんきゅう》の欄間に「見ざる、言わざる、聞かざる」の三猿があります。猿の一生を8面16コマで母子、三猿、子猿の成長、青春、恋愛、結婚、妊娠が16匹の猿で彫られています。上を向いて上昇志向の猿、下を向いて落ち込んでいる猿、その隣で慰めている猿もいて、その場面ごとに親猿が人生の教訓を垂れている流れになっています。この三猿はインドに見本があるらしく、でもインドでは四猿だそうです。どこを手で押さえているでしょうか。もう1ヶ所は股間で、やらざるを示しているそうです(笑)。三猿も65年ぶりに修復され塗り直されました。尚、左甚五郎はこの二つの作品で有名ですが、他にも国宝　石清水八幡宮本社（建造物２３４）の西門の蟇股に目貫きの猿を発見して吃驚しました。夜な夜な神社を抜け出していたずらをするので甚五郎が猿に目貫きを入れたそうです。落語「竹の水仙」や「ねずみ」でもまるで生きているような彫りものは時代や場所を越えていずれも左甚五郎作とされているようにも思います。ちなみに「鳴き龍」があるのは陽明門から階段を下りて右側にある、東照宮本地堂です。昭和36年（１９６１年）に火事で元の狩野安信作は焼失したために、申し訳ありませんが、少し拍子抜けの鳴き方になったと思うのは私だけでしょうか。大勢の参拝者がそれぞれに手を叩いては確かに分からなくなるので、ガイドのお坊さんが拍子木を打つのですが、「こんなものですか」と問えば「ええ、こんなものです」と答えられてしまいました。

同じく徳川三大将軍家光の霊廟として慶安4年（１６５１年）に造営された輪王寺の大猷院霊廟本殿、相の間及び拝殿　附厨子1基、銅箱入供養具9箇、棟札１枚（建造物１０３）は祖父である家康公の東照宮を凌いではならないという家光の遺言から、金と黒を基調にした重厚で落ち着いた造りになっています。特に入口の仁王門から二天門、夜叉門、いずれも重文ですが、その階段を上っていくと国宝の拝殿、相の間、本殿までの道のりは、天上界に昇っていくような印象を与えます。特に二天門は持国天と広目天を安置しており、陽明門に引けを取らぬ規模の大きさと豪華な建築で、徳川幕府の威勢を感じます。

本殿、相の間、拝殿はこの霊廟の建築中最も力を尽くした部分で、全体にわたり漆を塗りこれに金箔を押し、或いは極彩色を施し荘麗で東照宮に迫る代表建築です。圧巻は拝殿内の襖左右に狩野探幽が描いた唐獅子図です。秀吉が狩野永徳に描かせ諸公との対面時に自分の権勢の象徴として背後に置いた屏風、金雲たなびく岩間を雌雄の唐獅子が悠然と闊歩する堂々たる姿を、豪放な筆致と明快な彩色で描いた国宝　唐獅子図屏風（絵画１６５）とそっくりです。それは皇室の御物でしたが、今は皇居三の丸尚蔵館で国の財産として保管されています。本殿の探幽の獅子も単純な図様ながら、その迫力、勇壮さは負けていません。

　その輪王寺にはもう一つ国宝の大般涅槃経《だいはつねはんきょう》集解《しゅうげ》59巻（書跡・典籍２２５）があり、日光開山１２５０年記念で26年ぶりに平成28年（２０１６年）展示されました。入口で「どこに展示されていますか」と問い合わせたら「お客さんのような人が来られるから展示しがいがあります」と言われました。立ち寄る殆どの皆さんは地味な国宝の前で立ち止まらず素通りだそうです。

　日光に行かれたら明治6年（１８７３年）創業の西洋式ホテルの草分け、金谷ホテルにお立ち寄りください。ヘボン式ローマ字の考案者のヘボン、日本は安全で美しいと大英帝国に紹介した旅行家イザベラ・バード、相対性理論を提唱したアインシュタイン博士、世界初の大西洋単独無着陸飛行に成功したリンドバーグ、視覚聴覚重複障害者で社会福祉活動家ヘレン・ケラーなど世界の著名人がこよなく愛し、その宿帳サインが展示室「金谷の時間」で見ることが出来ます。なんといっても今でも「日光虹鱒のソテー　金谷風」「百年ライスカレー」「大正コロケット」は絶品です。有名人も味わった名物料理を是非ご賞味あれ。

東照宮は日光だけではありません。もう一つ国宝の東照宮があります。それは静岡県の久能山東照宮の本殿、石の間及び拝殿　附　安鎮法供養具11組、木殿釣燈籠4箇、拝殿釣燈籠2箇（建造物227）です。江戸時代初期の代表的権現造りで日光東照宮より19年早い元和3年（1617年）に完成しています。平成18年（2006年）50年ぶりに塗り替えられ日光東照宮に負けない華麗な輝きを取り戻しました。その塗り替えを待っていたかのように平成22年（2010年）に国宝に指定されました。「久能山東照宮には家康の遺骸があり、御廟所の高さ5・5m周囲8mの宝塔の中に鎮座されています。ここがお墓で日光東照宮は仏壇のような関係です」との説明には妙な納得感があります。また博物館には家康の遺徳を偲んで2代将軍秀忠が久能山東照宮に奉納した国宝の太刀 銘真恒（工芸品23）と、慶長

日光より早く建立された久能山東照宮本殿横で

16年（１６１１年）スペイン国王フェリペ３世からスペイン船の遭難の際に乗組員３１７名を救ってくれたお礼に徳川家康に贈られた重文の洋時計もあります。これなどは近い将来間違いなく国宝に指定されると私は予想しています。その理由は家康が愛用したと言われ、日本最古の時計ですし、平成24年（２０１２年）には大英博物館の時計専門家によって解体修理され保存状態が良く内部の部品もほぼ当時のまま残っていると鑑定され、今も刻々と時を刻んでいると確認されましたので、国宝指定は近いと踏んでいるのですが、どうですか。

東照宮は他の神社と少し毛色が異なります。人が神となり祀られている点です。人が神として崇拝された神社としては菅原道真公の北野天満宮があります。これは恨みを残して亡くなった道真公を祀らねば祟りに見舞われると考え、それを鎮めるために建立されました。同様に神田明神も平将門の怨霊を鎮めるための神社です。怨霊信仰が下火になった後、偉人を慕う者が神社を建てることになってきました。神君家康公を発案したのは本人の遺言に基づき側近の僧侶、崇伝、天海などが智恵を絞り出しました。豊臣秀吉は後陽成天皇から豊国大明神の神号を賜り既に豊国神社に祀られており、これの二番煎じの大明神では駄目として、東照大権現の神号が考え出され、後水尾天皇から勅諡《ちょくし》されました。それにより東照宮という神社が久能山、日光、さらに上野と全国で130社ぐらい現存しています。上野東照宮は増上寺と双璧で徳川将軍15人のうち6人、4代家綱、5代綱吉、8代吉宗、10代家治、11代家斉、13代家定の菩提寺になっています。今も残る上野東照宮には重文の唐破風造り四脚門の唐門が唯一の金ぴか金箔張りです。門の前には集合写真撮影用のカメラを置く台があり、記念写真のスポットになっています。塀内に入ると門柱の左甚五郎作と言われる昇り龍、降り龍の彫刻が見つかります。毎夜不忍池の水を飲みに行くという伝説がありますので東博の帰りにでもお確かめにお立ち寄りください。きっと口元が濡れていますよ。

また徳川家康によって再興されたという、埼玉県熊谷市の歓喜院聖天堂本殿（建造物228）は拝殿・中殿（相の間）・奥殿からなる日光東照宮と同じく権現造りです。妻沼聖天山《めぬましょうてんざん》と呼ばれ、埼玉日光とも呼ばれています。日光まで行かなくても豪華絢爛な桃山建築の彫りと塗りの建物が見られます。歓喜院そのものは治承3年（1179年）に高野山真言宗に属する寺院として創建されました。その境内にある聖天堂は、享保5年（1720年）に歓喜院院主海算《かいさん》が発願し、民衆の寄進を募り、地元の大工林兵庫正清によって建設されました。40年かけて造営され全てが整備されたのは宝暦10年（1760年）でした。これも神仏習合の遺産です。我々が外から目にする奥殿は多彩な彫刻技法が駆使され、さらに色漆塗や金箔押などによる極彩色を施してあり、贅沢できらびやかな建造物です。これもかなり色褪せてしまったのを7年間の大規模修理によって平成22年（2010年）極彩色を取り戻し、翌々平成24年（2012年）に国宝に指定されました。注目の彫りものは奥殿北側と南側に彩色鮮やかで眼光鋭い一対の鳳凰と拝殿正面の中国文人が四芸で遊ぶ和やかな、琴棋書画《きんきしょが》、それに伝左甚五郎作と言われる本殿の鷲と猿です。所狭しと全面に彫刻が並んでいますので、お見逃しないようにじっくり見てください。

徳川家の国宝は数で言えば、徳川将軍家の国宝は、日光東照宮7件、大猷院1件、輪王寺1件、久能山東照宮2件の計11件に加え、二条城1件、尾張徳川家の9件、紀州徳川家の3件で、徳川将軍家の国宝は合計24件に達します。

徳川とくれば当然豊臣の国宝もご紹介します。京都の国立博物館の裏側に、三十三間堂とは反対側ですが、豊国神社があります。元々は伏見城の遺構で桃山建築の豪華絢爛さが残る唐門（建造物１１９）が国宝です。慶長4年（１５９９年）に後陽成天皇から下賜された神号「豊国大明神」は現在も唐門の扁額として御宸筆が残っています。豊臣秀吉を祀る豊国神社は豊臣家滅亡とともに徳川幕府の命により廃絶となりましたが、明治天皇の勅命により再興されました。宝物殿には秀吉の戦場での馬印だった千成瓢箪は実は千個でなく、千成という種類の瓢箪一つであった事実や、隣の方広寺の「国家安康」の鐘も見逃せません。でもお忘れなくと思うのは唐門から出てぶつかる道路の反対側の左にある古墳状の盛り土の上に五輪塔が建っている耳塚です。朝鮮出兵した秀吉輩下の武将たちは、古来一般の戦功の論功行賞の証拠の印である首級の代りに朝鮮軍民の鼻や耳を削ぎ、塩漬けにして日本に持ち帰りました。それらは秀吉の命によりこの地に埋められ供養されたと伝えられたのが耳塚、鼻塚です。ご注目は耳塚の周囲に建てられた石柵にはずらりと古今東西の歌舞伎俳優や芸人たちの名前が刻んでありますので、探してみてください。大正4年（1915年）に歌舞伎役者などの寄付で始まりましたが、「へぇ〜あの名優が」と驚かれることが多いと思います。

第7章

大名家の国宝

Q31 大名家で国宝を一番多く所蔵していたのはどこですか？

歴代藩主が文化に造詣が深くパトロンとしての役割を果たしてきた大名家を見ていきたいと思います。戦国時代が終わって平和な時代が来ると、大名家に代々武家の誉れ高い名刀を蒐集し、それを自慢にする傾向が起こりました。そのお陰で数々の本物も偽物も大名家に残りました。その本物だけが国宝にもなり伝来していきます。競って名刀を蒐集した結果刀剣類の国宝は117件もあります。それらで大名家に伝来したものをご紹介していきます。偽物は出来の良い業物に鏨師《たがねし》が名工の名を刻印します。その鏨師と鑑定家の壮絶な戦いは平岩弓枝の直木賞受賞作『鏨師』をお読み頂ければ味わえると思います。

徳川家に匹敵するのは加賀百万石前田家

徳川家に匹敵する最大の国宝パトロン大名は流石の加賀百万石前田家です。前田育徳会が前田家伝来の書跡・典籍、古文書、工芸品などの所蔵管理者で、その保管場所が東大駒場近くにある尊経閣文庫です。この名称はこのおびただしい数の収蔵の中心であった5代加賀藩主前田綱紀の尊経閣蔵書にちなんで名付けられました。これほどまでに加賀藩前田家が学問、文芸、文化の振興に力を入れたのは、圧倒的な財力の外様大名に徳川家に弓引く考えはありませんと内外に明らかにするためだったと思われます。そのお陰で国宝22件と建造物としての尊経閣文庫を含む重文が77件あります。

まず最初は和歌の書ですが古いものから、万葉集　巻第三、第六残巻（金沢本万葉集）１帖（書跡・典籍２０８）は平安時代の能書家、藤原定信筆による巻第三の断簡２枚と巻第六の断簡５枚をまとめて１帖とした見開きB５サイズの冊子です。３代藩主前田利常が入手したものですが、その他に巻第二の断簡58枚と巻第四の断簡20枚をまとめた１帖もありましたが、明治43年（１９１０年）明治天皇が前田邸に行幸された際に献上され、天皇の御物になりました。今は天皇家の相続税の関係から国の財産となりました。国宝　万葉集巻第二、第四残巻（金沢本）藤原定信筆　附浦景蒔絵冊子箱　桐冊子箱　宝永丁亥仲春望日前田綱紀箱書（書跡・典籍

284）として皇居三の丸尚蔵館の保管となっています。本の装丁の仕方が変わっていて、二つ折りにした紙の山の部分に糊を付け、それを重ね合わせて本の形にし、その上に表紙を糊で付ける方式の粘葉装《でっちょうそう》の冊子本2帖です。

古今集　巻第十九残巻（高野切本）（書跡・典籍207）は醍醐天皇の勅命で編纂された我が国最初の勅撰和歌集が古今和歌集です。筆者は伝紀貫之ですが、現存する最古の写本でその書風は仮名書道の最高峰との評価です。高野切などの「切《きれ》」とは鑑賞用とするため切断し、掛軸に仕立てたり、アルバム風の手鑑《てかがみ》に貼り込んだりしたものを指します。掛軸に仕立てた鑑賞形式は茶道の隆盛とともに盛んになりました。高野切と呼ばれるのは、高野山文殊院の木食応其《もくじきおうご》が秀吉より古今集巻頭の断簡を拝領し、高野山に伝えたことから来ています。他の国宝の古今和歌集　高野切本には個人蔵の巻五（書跡・典籍19）、毛利博物館所蔵の巻八（書跡・典籍53）、高知城歴史博物館所蔵の巻二十（書跡・典籍16）の3巻があります。

古今集　伝藤原清輔筆　2帖（書跡・典籍123）は二条天皇に重用された歌学の大成者藤原清輔の筆による写本です。古写本の中でも注記が多く書き込まれているので、研究者には価値ある和歌集です。

次に土佐日記　藤原定家筆　（書跡・典籍13）は紀貫之が女性の筆を借りて書いた我が国最初の仮名文字による日記ですが、それを藤原定家が紀貫之の本を写したものです。特に最後の２頁は紀貫之の筆跡を隣において筆跡も似せて模写したと言われています。３代藩主前田利常が入手したものです。同名の国宝　土左日記（書跡・典籍２７４）は大阪青山学園大学の歴史博物館にありますが、これは藤原定家の三男藤原為家が書写したものです。紀貫之が書いた原本は今ありませんが「土左日記」と書いたようです。土佐守だった紀貫之が自宅の京都に戻るまでの55日間の旅の様子を題材にして男性が漢文で書く日記を女性の私はひらがなで書いてみようと装うところから、リアルさを隠すためにも「土左日記」にしたと推察出来ます。それを定家は土佐守の旅行記として「土佐日記」としたように思います。

歌合（十巻本のうち現存５巻）巻第一、二、三、八、十（書跡・典籍69）は平安時代中期に編纂された日本最初の歌合集です。仁和年間（８８５年から８８９年）から天喜４年（１０５６年）に至る約１７０年間の46度の歌合を収めています。藤原頼通が企画し、源経信が編纂しました。全部で46回の歌合を十巻本に仕立てたものですが、この全５巻と陽明文庫の巻第六（書跡・典籍１０２）が現存に残りました。

他の4巻は散逸したようです。

十五番歌合（書跡・典籍14）は伝藤原公任筆の、当時の仮名としては大きな文字で、力強さが溢れる筆跡の歌合です。歌人30名の歌各一首を一番歌として組み合わせで十五番の歌合に仕立てた巻物です。選者はもちろん藤原公任で、自身の評価基準で選んだ和歌に関する解釈を歌合の形によって記したものです。十五番あるはずですが、伝来したのは8首のみで残りは欠けてしまいました。

広田社二十九番歌合　藤原俊成筆　3巻（書跡・典籍68）は平安時代に今の西宮市辺りの摂津国の広田神社の社頭で開催され奉納された歌合です。そのスタイルは「一番」という大文字の後に、ひらがなで14行の歌が並んでいます。その次に「二番」とありまた14行の歌が並ぶという繰り返しで、これが二十九番まで続き、7m44㎝の長さになっています。奥書に「承安二年十二月十七日」（１１７２年）とありますので時代がはっきりしています。

入道右大臣集（書跡・典籍２０９）は平安時代中期の摂政太政大臣藤原道長の次男で歌人の藤原頼宗の歌集です。詠歌１０９首を収めた自撰集で、「頼宗集」とも呼ばれます。彼の官位は従一位右大臣で、康平8年（１０６５年）73歳で官位のまま出家したことから入道右大臣と呼ばれました。ここに収められた和歌の大半が後拾遺集や金葉集などの勅撰集に採用されています。頼宗の自筆本を12世紀後半に書写したものですが、王朝の美意識を反映して、唐から輸入された華麗な料紙の上に流麗な筆跡で写されています。これを拝見するために平成30年（２０１８年）金沢市の石川県立博物館まで行きました。毎年２回程度自分にとっての新国宝は１件ずつ展示されるので東京から金沢に通うのは大変です。でも金沢は楽しみが多く、その時もタラバガニの解禁日に合わせて出かけました。近江町市場で水色のタグの付いたタラバガニをお土産に買って帰りました。プリプリの足肉も新鮮な蟹みそも本当にたまらない美味しさでした。また石川県立博物館の国宝　色絵雉香炉　野々村仁清作（工芸品21）は常時展示され、写真撮影ＯＫですので、同じような写真をまた撮ってきました。ちなみに雄が国宝で雌は重文です。

日本書紀　巻第十一、第十四、第十七、第二十、４巻（書跡・典籍１９０）は奈良時代に成立した日本の歴史書です。日本最古の正史で、平安時代までに六つの正史が作られた六国史の第一にあたります。天武天皇の皇子舎人《とねり》親王が、神代から持統天皇の時代までの編集を指揮し、漢文の編年体で記述されています。全30巻を養老4年（720年）に完成させました。そのうち4巻が前田家に伝来しました。巻第十一は第16代仁徳天皇、巻第十四は第21代雄略天皇、巻第十七は第26代継体天皇、巻第二十は第30代敏達天皇の記録です。同名の国宝は他にも奈良博所蔵の日本書記　巻第十残巻（書跡・典籍10）が第15代応神天皇、京博所蔵の日本書記　巻第二十二、第二十四　2巻（書跡・典籍6）が第33代推古天皇と第35代皇極天皇の記録を記しています。

類聚国史《るいじゅうこくし》巻第百六十五、第百七十一、第百七十七、第百七十九　4巻（書跡・典籍173）は平安時代前期の寛平4年（892年）宇多天皇の命を受けて菅原道真が編纂した古典の検索書です。政治の実際の運用に役立つ知識の整理のため古典の中から役に立ちそうな箇所を抜き書きして分類編集したものです。類聚とは分類を意味し、もともとは200巻目録2巻帝王系図3巻の計205巻でしたが、応仁の乱の際に散逸してしまい62巻が現存しています。その内の4巻が前田家に伝来しました。現存しているのは神祇、帝王、後宮、人、歳時、音楽、賞宴、奉献、政理、刑法、職官、文、田地、めでたいことの兆しを記す祥瑞《しょうずい》、災異、仏道、風俗、特異な風俗や習慣と異なった風俗の国についてまとめた殊俗の18項目です。学者大名の第5代藩主綱紀が入手したもので、巻第165祥瑞、巻第171災異、巻第177と179仏道2巻を所蔵しています。同名の国宝は東北大学の類聚国史　巻第廿五（書跡・典籍112）がありますが、譲位後の太上天皇と追号天皇の帝王の1巻です。

秘府略　巻第八百六十八（書跡・典籍67）は平安時代前期の天長8年（831年）淳和天皇の勅命により滋野貞主《しげのさだぬし》が漢字の原義や成立を説明する説文などの漢籍約1500種の記事を分類し、項目ごとに編集した日本最古の百科事典です。膨大な全1000巻が編纂されましたが、現在は写本2巻のみが伝わるだけです。巻第八百六十八布帛部が国宝ですが、巻第八百六十四百穀部は奇妙なことに御茶ノ水にある石川武美記念図書館の成簣《せいき》堂文庫に所蔵されている重文です。これもまだ見ぬ国宝の一つですが、現在状態が悪く公開停止になっており、修復されないと公開はなさそうです。修復が出来たら金沢まで行きますので急いでほしいと願っています。

北山抄《ほくざんしょう》12巻（書跡・典籍175）は平安時代中期の長和元年（1012年）から寛仁5年（1021年）9年間に四条大納言藤原公任が多くの典籍を引用して記した有職故実の参考書です。晩年に京都の北山に隠棲したことから名前が付けられました。平安時代になって朝廷の儀式典礼が盛大に行われるようになり、それに関する正確な知識が要求され、藤原道長の依頼に応じ第四巻五巻を道長のため、第七巻は藤原公任自身の長男藤原定頼蔵人頭のために、第八巻第九巻を藤原公任の娘婿で藤原道長の五男藤原教通近衛大将のために著したと伝わっています。朝廷での年中行事や臨時の儀式の作法、太政官の政務、地方の政務、近衛大将・中将などの武官の進退や作法、国司に関すること、文書の作成と発布に関する儀礼や慣習を記しています。従って後世の有職故実の基準となりました。同名の国宝が京博に稿本北山抄　巻第十（書跡・典籍70）があります。当然公家たちの参考書ですから、書写本も多く作られました。これは貴重な藤原公任の自筆による草稿本ですので国宝になりました。地方官の職務に関する参考書です。

水左記　源俊房自筆本　２巻（古文書14）は平安時代の名筆家左大臣源俊房の康平５年（１０６２年）28歳から天仁元年（１１０８年）74歳までの47年に及ぶ日記です。日記の名称は、源の部首さんずいの「水」と左大臣の「左」を合わせたものです。後冷泉、後三条、白河の三代の天皇の宮廷社会を簡潔に記述している貴重な史料です。宮廷の４大事、祝日に群臣を集める行事などの節会、太政官から天皇に申し上げる官奏、五位以上の位階を授ける叙位、大臣以外の官を任命する除目《じもく》の儀式の有職故実を集めるのを家業とする中院家から前田家に伝来しました。

賢愚経残巻（大聖武）３巻４１９行、１４６行、18行（書跡・典籍２２６）は賢愚因縁経といわれ、賢者と愚者に関する比喩的な小話69篇を収めた13巻からなる経典の写本です。東大寺戒壇院に伝来しましたが、室町時代までに流失し切断されてしまいあちこちに伝来しました。聖武天皇の筆との伝承があり「大聖武《おおしょうむ》」の名で呼ばれています。流石聖武天皇の宸翰だけあって堂々としており、気宇雄大であってかつ重厚謹直の印象が強く、私も大好きな書風です。一般に写経は１行17字ですが、この大聖武は１行11字から14字で書写され、大ぶりな字形で量感のある筆線は、端正で気迫に満ちており、手本として欲しがった貴族たちの取り合いとなり細かく切られて手鑑の冒頭を飾ることになってしまいました。手鑑として国宝に四大手鑑があります。京博所蔵の手鑑「藻塩草」二百四十一葉（書跡・典籍64）、出光美術館所蔵の手鑑「見ぬ世の友」二百二十九葉（書跡・典籍１１７）、陽明文庫所蔵の大手鑑　第１帖百三十九葉第２帖百六十八帖（書跡・典籍１６５）、ＭＯＡ美術館所蔵の手鑑「翰墨城」三百十一葉（書跡・典籍２４３）があります。いずれも大聖武の断片が冒頭に出てきます。冠婚葬祭の受付での自署の漢字の書き方を大聖武から真似しています。大聖武風の自分の名前は堂々としており自己満足ですが大変気分の良いものです。皆さんの名前も大聖武から見つけられ自署に真似されたら堂々たる署名になると思います。是非お試しあれ。賢愚経同名の国宝は、東大寺所蔵の巻十五467行（書跡・典籍51）、白鶴美術館所蔵の残巻2巻甲巻461行乙巻503行（書跡・典籍264）、東博所蔵の残巻1巻262行（書跡・典籍233）があります。

宝積経要品（書跡・典籍124）は室町幕府初代将軍足利尊氏とその弟であり、実権を掌握していた足利直義と夢窓疎石の3人による写経です。直義が夢で見た「なむさかふつせむしむさり（南無釈迦仏全身舎利）」の十二文字を頭にする和歌を募りました。足利尊氏・直義の兄弟、徒然草を書いた吉田兼好などが詠んだ和歌短冊120枚を貼り継いでいます。後醍醐天皇失脚の後に皇位継承したのに、復権した後醍醐天皇に否定されてしまい北朝初代天皇となりましたが、歴代天皇には含まれなかった光厳院の和歌も入っています。写経は巻首から、直義、夢窓、尊氏の順で書かれ最後に直義が跋文《ばつぶん》を記しています。そして高野山金剛三昧院に奉納されました。江戸時代に、加賀藩４代藩主前田綱紀が金剛三昧院に堂塔修繕費を寄進した返礼として前田家に贈られました。ちなみに金剛三昧院の多宝塔は国宝（建造物97）です。

搨王羲之書孔侍中帖《とうおうぎししょ》（書跡・典籍15）は書の芸術性を確立し普遍的な美の存在に高めたとして書聖と称され、中国史上最高の書家東晋の王羲之の書の拓本です。唐の太宗皇帝は王羲之の書をこよなく愛し、真行２９０紙及び草書２０００紙を収集しましたが、崩御の際には最高傑作の「蘭亭序」はじめ収集品を一緒に自分の陵墓、昭陵に埋めさせたために、消滅してしまいました。お陰で真筆は世界に一つたりとも残っていません。従って搨王羲之書も真筆ではありません。王羲之の書の名称は、書かれた書の殆どが冒頭の文字から時には重要部分から取って名付けられています。孔侍中帖は王羲之筆の手紙である「哀禍帖《あいかじょう》」３行、「九月十七日帖」３行、「憂懸帖《ゆうけんじょう》」３行の行書計９行を一種の拓本にしたものです。帖とは習字のお手本の意味です。「九月十七日」が冒頭に出てきますので「九月十七日帖」とも呼ばれ、２行目に出てくる「孔侍中」をとって「孔侍中帖」とも呼ばれましたが、三つの手紙を一括して真ん中にあたる「孔侍中帖」が総称されることになりました。作成方法として「搨」が示すように原本の文字の上に薄い紙を乗せて文字の輪郭だけを写し取った白抜きの線、つまり籠字《かごじ》の中に墨で補填する方法で王羲之の筆跡をコピーした拓本、双鉤填墨本《そうこうてんぼくぼん》です。肉筆と見違えるほど立派だと思います。

同様の国宝として唐の貞観期に王羲之の真跡から写し取られた行書17行が「喪乱帖」と呼ばれて存在します。戦乱によって先祖の墓が荒らされた深い悲しみを綴った「喪乱帖」8行、「二謝帖」1行ずつの断片を集めて5行、「得示帖」4行の計17行が一幅になっています。平成元年（１９８９年）まで天皇家の御物でしたが相続税の物納として国庫に移されて、令和5年（２０２３年）国宝に指定されました。総称として喪乱帖　原跡王羲之（書跡・典籍２８２）と呼ばれています。両方とも桓武天皇の延暦勅定の印が押捺されていて桓武天皇が大切にされたこと、桓武天皇の時代から伝来したことがひしひしと伝わってきます。

三朝宸翰（花園天皇消息、後醍醐天皇消息、伏見天皇消息）2巻（古文書15）92代伏見天皇、95代花園天皇、96代にして南朝初代の後醍醐天皇の宸翰ですが、いずれも鎌倉時代中期の能書として有名です。後醍醐天皇の筆跡は雄渾で格調高い屈指の名品です。伏見天皇は天皇の中でも第一の名筆で漢字も仮名ともに巧みです。花園天皇は人柄を感じさせる重厚な書風です。後醍醐天皇の筆は名品で４件の国宝が残っています。ところが伏見天皇と花園天皇の宸翰はこれ以外重文です。尚、花園天皇を描いた肖像画、国宝　花園天皇像（絵画93）は国宝で京都長福寺にあります。何故この宸翰が三つ束ねて三朝宸翰となっているか分かりません。伏見天皇は第92代天皇でその子の第95代花園天皇は持明院統で、後醍醐天皇は第96代天皇ですが大覚寺統ですので、３天皇を束ねるつながりが不明ですのでご存知の方は教えてください。生成ＡＩも答えてくれませんでした。

四つある後醍醐天皇の国宝ですが、残る３件は醍醐寺にある国宝　後醍醐天皇宸翰天長印信（古文書39）、大徳寺に残る国宝　後醍醐天皇宸翰御置文　元弘三年八月廿四日（古文書27）、四天王寺の国宝　四天王寺縁起　根本本及び後醍醐天皇宸翰本（書跡・典籍１０４）、これは四天王寺の歴史や逸話が書かれたもので、根本本は伝聖徳太子の自筆と伝わり、手形も聖徳太子の手印だと言われています。この点は間違いの可能性は高いと思います。それを後醍醐天皇が自筆で写し巻末に後醍醐天皇の手形を二つ捺したものが後醍醐天皇宸翰本です。こちらは本物です。この2巻がまとめて国宝に指定されており、後醍醐天皇縁起本と呼ばれることもあります。また京都府立総合資料館にある国宝　東寺百号文書　全二四、〇六七通（古文書55）は教王護国寺の宝蔵に伝来した寺院文書で、奈良時代から江戸時代初期まで900年に及ぶ膨大な史料群です。その中にも後醍醐天皇の祈願文や綸旨《りんじ》が国宝の一部として入っています。ちなみにこれも加賀藩4代藩主前田綱紀が文書を書写させてもらったお礼として文書を整理し目録を作成し、それを百個の保存箱に入れてお返ししたものですが、今は94個しか現存していません。

両京新記　巻第三（金沢文庫本）（書跡・典籍206）は中国8世紀前半唐の時代に、長安で史学家韋述が編纂した歴史書です。両京とは長安と洛陽を指します。もともと全5巻でしたが、中国では宋代以降に散逸してしまい、世界で残るは前田家のこの第三巻のみです。

仁和寺御室御物実録（古文書13）は承平元年（931年）に作成された仁和寺の宝蔵の物品実録帳が、天暦4年（950年）の点検の際に紛失が分かり、同年新たに作成された仁和寺の御物の目録です。平安時代当時の美術工芸品の内容が分かる貴重な資料です。応仁の乱で仁和寺が焼失した際に運び出されて加賀藩4代藩主前田綱紀に伝わったと考えられます。

刀　無銘義弘　名物富田江《ごう》附革包太刀拵（工芸品１８４）は前田家の家臣富田一白が所持しており、「江」は作者が越中の名工郷義弘の郷を江とした名前です。信長の寵臣で才覚があり機転が利くので名人久太郎と言われた堀秀政が富田一白より金16枚で買い求め、秀吉に献上しました。秀吉が薨去《こうきょ》の際に前田家由来の刀として加賀藩初代藩主前田利長が拝領したものです。

刀　無銘正宗　名物太郎作正宗（工芸品２０４）は信長が越前朝倉家と戦った際に家康の家臣水野太郎作正重が敵の侍の兜の上から打ち下ろすと兜の鉢を割り、ロのところまで刃が届いたと伝わっています。切っ先から8寸5分のところの刃こぼれはこの時に出来たとのことで、必見の価値があります。この刀を水野正重が徳川2代将軍秀忠に献上しました。3代将軍家光の養女大姫が加賀藩3代藩主前田光高に輿入れする際に持参させたので前田家に伝来しました。

太刀　銘光世作　名物大典太《おおでんた》（工芸品２０５）は天下五剣の一つです。室町幕府初代尊氏から十三代義輝まで長年足利将軍家の家宝でしたが、没落とともに流出し豊臣秀吉の所有となりました。その後秀吉から加賀藩の藩祖前田利家に贈られました。2代藩主前田利常が本阿弥光甫に命じて萌黄糸巻を施した鬼丸拵の外装を作らせて天下の名刀に相応しい拵えにしました。名物大典太の由来は平安時代の筑後の刀工集団三池派の初代刀鍛冶、三池典太光世《みいけでんたみつよ》の作であり、前田家に2振りあるうちの長い方ですので大が付きました。

ちなみに天下五剣とは、名刀中の名刀として江戸時代8代将軍吉宗が作成を命じた享保名物帳の写本諸家名剣集の中で選ばれた5振りの名物刀です。この名物大典太の他は国宝　太刀銘三条　名物三日月宗近（工芸品12）は平安時代京の三条で作刀していた三条宗近の作で、東博所蔵の刃文に三日月が見え、刀剣女子を爆発的に増やして刀剣のとりこにしたアニメ『刀剣乱舞』の中でも名刀中の名刀です。太刀銘安綱　名物童子切安綱（工芸品15）も豊臣秀吉所有から徳川秀忠に、さらに越前松平家に伝来し今は東博所蔵です。平安時代伯耆国の刀工安綱の作で、源頼光が丹波国大江山の酒呑童子の首をはねたとの伝承があり、この名が付きました。4振り目が太刀　鬼丸、鎌倉時代初期山城国の京粟田口派の刀工で、後鳥羽天皇の御番鍛冶であった国綱の作です、現在は天皇の御物になっています。鬼丸の由来は太平記に書かれており、夜な夜な悩まされた鬼をこの刀で切り殺した逸話です。最後5振り目は太刀　数珠丸、鎌倉時代前期備中国青江派の名工で、後鳥羽天皇の御番鍛冶であった青江恒次作の重文です。尼崎市の本興寺に伝来しました。元は日蓮の護身用に信者から贈られた刀で、日蓮は気に入り柄に数珠を巻いて邪悪なものを打ち破り正しい考えを伝える破邪顕正《はじゃけんしょう》の太刀として佩刀としていたことから数珠丸の名前が付きました。

平成27年（２０１５年）北陸新幹線開通記念に「加賀百万石の名宝」展が開催され一挙に11件を見ることが出来、現在21件まで来ましたので、残り１件秘府略の展示が早く訪れるように北国の春を待つ気分で待っています。

福岡藩黒田家52万石の国宝は曰く付き

秀吉に仕えた福岡藩黒田家には国宝３件、重文４件があります。そのほか黒田家ゆかりの美術品は石橋財団の旧ブリヂストン美術館　現アーティゾン美術館にも伝来しています。禅機図断簡　丹霞焼仏図（絵画97）の国宝１件と重文３件が伝わっています。この禅機図も景色毎に切り分けられ断簡として伝来しており、禅機図断簡として６件全てが国宝です。

黒田官兵衛、武将名は考高《よしたか》（出家後は如水）は二振りの国宝の刀を拝領し所蔵していました。一振りは国宝　刀　金象嵌銘長谷部国重 本阿（花押）黒田筑前守名物圧切《へしきり》長谷部（工芸品97）です。

天正3年（1575年）7月、美濃国岐阜城にて織田信長に謁見した際に毛利攻めへの協力を申し出ました。それを「愛いやつじゃ」と大いに喜んだ信長から授けられた名刀です。この刀には曰くがあります。織田信長が短気でキレやすかったのは有名ですが、些細なことで茶坊主の観内という家来を手討ちにしました。違い棚の下に隠れて命乞いをする坊主を上から棚ごと真っ二つにしたのがこの名刀でそれ以降「圧切（へしきり）長谷部」と呼ばれています。元々は無銘でしたが、本阿弥光徳、刀剣鑑定家本阿弥宗家の第9代、本阿弥光悦の従兄弟が山城国の刀工、かの名工五郎入道正宗の十哲の一人、長谷部国重の作と極め、茎《なかご》に金象嵌銘を施しました。鞘として金霰鮫青漆打刀拵《きんあられさめあおうるしうちがたなこしらえ》が付いています。この名物　圧切《へしきり》長谷部は福岡市博物館に所蔵されています。

もう一振りは国宝　太刀 無銘一文字　名物日光一文字　附葡萄蒔絵刀箱（工芸品43）です。秀吉の天下統一の総仕上げとして大軍を率いて北条攻めの天正18年

（１５９０年）、官兵衛が北条氏直に開城勧告と和議を説得に小田原城に無刀で単身出かけ、籠城徹底抗戦を主張する父氏政を押えて、息子の氏直を「命を大切に生きられよ」と家臣や民を救う降伏を決断させた逸話があります。その時のお礼として氏直から彼に北条家伝家の宝刀が贈られたのです。頂いたその刀は備前福岡一文字派の傑作で、北条早雲が日光二荒山《ふたらさん》神社より譲り受けたため、日光一文字と呼ばれています。

ついでながら、慶長5年（１６００年）関ヶ原の戦いにおいて、官兵衛の長男、黒田長政は、徳川家康率いる東軍の勝利に貢献したとして、筑前国を与えられ入国しました。新たに福岡市中央区、現在の大濠公園に当たる場所に7年の歳月をかけて城を築きました。完成した城は、黒田家ゆかりの地である備前国邑久郡福岡（現在の岡山県瀬戸内市長船町）の名前を取って福岡城と名付けられました。築城の際に建設された城下町福岡と中世以来の貿易都市であった博多が共存して、福岡藩の商工業の中心となり福岡市発展の礎となりました。

ＪＲの博多駅と福岡空港で名前を使い分けているのは、ＪＲの大阪駅と私鉄や地下鉄が梅田駅と使い分けているのと同じような関係でしょうか。只、梅田は梅林ではなく淀川の三角州湿地帯だった所に土を運んで埋め立てて田を作ったから、埋田《うめだ》なのだそうです。

さらにもう一つ誰もが知っている国宝が黒田藩にあります。教科書でお馴染の国宝　金印「漢委奴国王印」（考古資料17）です。見に行かれると2・3㎝四方のこんなに小さいのかと驚かれると思います。漢代の一寸に相当する大きさで重さも108gです。江戸時代天明4年（1784年）2月志賀島で農民甚兵衛が田んぼを掘り起こしていたら出てきました。甚兵衛はどうしたらよいか分からず、庄屋に相談したら藩に届けろと言われ、持っていくと褒美として銀50枚（推定ですが75～95万円）を下賜され黒田家の所蔵になりました。昭和53年（1978年）黒田家から福岡市に寄贈され福岡市立博物館の所蔵になり、今は厳重なガラスケースに納められて常時展示されています。ハンコですから左右が逆に、篆書体で「漢・委奴・国王」と刻まれています。委は倭の略字で日本をさし、奴は九州にあった国の名前と推測されています。漢の属国である倭の奴国の国王と読めます。紐《つまみ》の部分に蛇の顔が彫られていますので確かめてください。逃げ出して騒動になったアミメニシキヘビの頭みたいです。後漢書の東夷伝に建武中元二年（57年）に後漢王朝の光武帝が「委の奴国の王からの貢物のお礼に金印を授けた」と記述があります。

しかし日本側には福岡藩の口上書以外に他の遺物もないので、何故志賀島の田んぼに埋まっていたか依然謎は大きくロマンは膨らみます。その発見されたと考えられている場所に行ってみると、海に向って下り坂になっている田んぼは現在金印公園になっています。金印だけがこんな田んぼに残されたのは「どうして」と益々不思議でなりません。

福岡藩黒田家の所有になった金印が発見された志賀島の金印塚で、現在は再整備されています

その志賀島には博多港からフェリーな

ら30分、でも島と言っても砂州が陸続きになり海の中道と橋でつながっている島なので、車や愛称JR海の中道線を利用して気軽に行くことが出来ます。この島の名物はさざえ丼ですが、地魚の天日干しも豊かな味わいがあり私はお土産にしました。

こんな訳で黒田官兵衛ゆかりの黒田藩は3つの国宝を所蔵していたのです。

幕末の討幕雄藩も国宝のパトロン

時代も下がって幕末の雄藩、薩摩、長州、土佐、佐賀にも国宝が残っています。

まず長州藩主毛利家37万石ですが毛利博物館は山口県防府市にある毛利邸の中に昭和42年（1967年）に創立された歴史博物館です。国宝4件や三本の矢の訓話をしたためた毛利元就自筆書状、三子教訓状を含む毛利家文書をはじめとする重文が9件所蔵されています。

四季山水図（絵画26）は雪舟芸術の最高傑作と評判高い水墨画です。通称山水長巻の名で知られており、縦39・7㎝ですが、長さは全長15・92ｍに及ぶ最長の山水画です。文明18年（1486年）67歳の作で、中国の山水を季節の推移とそこに暮らす人々の姿を描き込んでいます。この絵の見所と思うのは、墨一色で描かれている景色の要所要所に朱や藍などの色が差されているので、季節の移ろいや人家の暖かさが感じられます。この絵は雪舟を庇護していた大内家の所有でしたが、大内家が毛利家に亡ぼされた結果毛利家の至宝になりました。

この雪舟（諱《いみな》は等楊《とうよう》）の水墨画の国宝は６件、重文が19件もあります。雪舟は幼くして仏門に入り、悪戯《いたずら》が過ぎて宝福寺仏堂の柱に縛られた際に、床に落ちた涙を足の親指につけ鼠を描いた逸話から始まる天才画僧です。京都相国寺で修業の後今の山口県周防国に下り大内家の援助を受け、応仁元年（１４６７年）47歳の時に２年間中国に留学する機会を得たのが画力開花のきっかけです。雪舟の残りの国宝を描かれた若い年齢順に紹介すると、お気付きになると思いますが雪舟は後期高齢者になっても、光輝高齢者として活躍していたことが分かります。

文明18年（１４８６年）67歳の時に四季山水長巻（絵画26）を描き、東博や美術研究家の評論の中から大胆に推定しただけで根拠はありませんが明応２年（１４９３年）74歳の時に国宝　秋冬山水図　２幅（絵画69）を描きました。この絵はその後京都の曼殊院に伝来し、そして昭和11年（１９３６年）に東博が購入しました、この冬景の真ん中に天に向かって延びる垂直な稜線は強く印象に残ります。明応4年（1495年）76歳の時に描いた同じく東博所蔵の国宝　破墨山水図（絵画50）、この絵の上部に月翁周鏡ら6僧の賛が書かれており、その中に破墨の語があり破墨山水と呼ばれています。明応5年（1496年）77歳の時に禅宗の始祖達磨が少林寺で岩壁に向って座禅中に慧可という僧が入門を請うたが許されず、自からの左腕を切り落として決意を示した場面を描いた、愛知県斉年寺所蔵の国宝　慧可断臂図《えかだんぴ》（絵画156）や、明応10年（1501年）82歳の時京博の国宝　天橋立図（絵画31）に加え、永正3年（1506年）最晩年86歳に描かれた唯一個人蔵、大原美術館を開館した大原孫三郎が入手し今は孫の名誉理事長大原謙一郎氏の所蔵になっている山水図（絵画96）があり計6件です。

菊造腰刀　刀身無名　伝當麻（工芸品61）、この刀身は26・5cmで長さ一尺（約30・3cm）以下の刀ですから短刀の一種ですが、つばがなく腰に差します。江戸時代になると脇差と呼んでいます。鵜の首の形をした造りで、反りはありません。刀の鞘に納めた小柄《こづか》や笄《こうがい》などに菊の花、枝、茎などが彫られ菊尽しの意匠から菊造と呼ばれ、大和国當麻寺の刀工集団當麻派の名刀です。ちなみに腰刀の国宝はもう一振り厳島神社にあります。梨子地桐文螺鈿腰刀　銘友成作（工芸品１９８）です。

史記 呂后本紀第九（書跡・典籍１５２）は中国における正史の最初をなす前漢の司馬遷が記した歴史書史記の写しです。前漢の劉邦が初代皇帝高祖となり、その皇后の呂后が高祖の死後自分の子供が王位に就くと悪女と化し政治を独断し専横を働いた歴史を描いたものです。呂は、中国三大悪女の一人で、他に紀元前11世紀の殷王朝の紂王の妃の妲己《だっき》、唐の高宗の妃で武則天、高宗の崩御後自ら周を建国し中国史上唯一の女帝となり則天武后と称しました。史記を平安時代延久５年（１０７３年）に紀伝道の宗家大江家国が書写し加点した巻子本形式の訓点本です。史記の最古の写本です。同じ時に大江家国によって書写された史記は東北大学附属図書館所蔵の国宝　孝文本紀第十（書跡・典籍１１３）と五島美術館大東急記念文庫所蔵の国宝　孝景本紀第十一（書跡・典籍２１８）の３件が別れて伝来しました。

古今和歌集 巻第八　高野切本（書跡・典籍53）は延喜5年（９０５年）に紀貫之らが編纂した我が国最初の和歌集の第八巻です。毛利家に伝わる巻八は、源兼行筆と言われています。この古今和歌集は、古今集とも呼ばれ、醍醐天皇の勅命で紀友則、紀貫之、凡河内躬恒《おおしこうちのみつね》、壬生忠岑《みぶのただみね》の4人の撰者に総計1111首を勅撰し全20巻にまとめた和歌集です。当時和風毛筆文化が発展した時代でもあり数多くの写本が作られて、そのうち9件が国宝に指定されています。しかも和歌ですので切り離しも比較的容易になされ、断簡や短冊状にまで細かく分かれていくことになりました。分類の仕方も書写の筆者によるもの、切り方によって高野切、本阿弥切などに分けられたり、書写された年代で呼ばれたりと統一がありません。ここでは書写の筆者で国宝9件を紹介していきます。

従来伝藤原俊頼と言われてきましたが最近は源定実、書道家世尊寺流第4代で藤原行成の曾孫、によると判明した古今和歌集　元永本　上下2帖冊子（書跡・典籍4）は東博所蔵で唯一20巻分納めた完本です。元永3年（1120年）に書写されたことで、この名で呼ばれています。藤原定実筆による古今和歌集序　彩牋三十三枚　1巻（書跡・典籍3）は大倉集古館所蔵です。平安歌学の大成者、伝藤原清輔筆による古今集　2帖（書跡・典籍123）は前田育徳会所蔵です。

紀貫之筆による古今集巻第十九残巻　高野切本（書跡・典籍207）も前田育徳会所蔵で豊臣秀吉が高野山文殊院の木食上人に与えたことから高野切本と言われて

います。

伝紀貫之筆による古今和歌集巻第五　高野切本（書跡・典籍19）は個人蔵です。伝紀貫之筆による古今和歌集巻廿　高野切本（書跡・典籍16）は高知城歴史博物館所蔵です。伝小野道風筆による古今和歌集巻第十二残巻　本阿弥切本（書跡・典籍258）は京博所蔵です。藤原定家筆による古今和歌集1帖（書跡・典籍270）は冷泉家時雨亭文庫に所蔵されており嘉禄2年（1226年）に元の20巻全てを書写されたと奥書で分かります。藤原行成筆による古今和歌集　曼殊院本1巻（書跡・典籍90）は曼殊院に伝来しました。

本家毛利家を支えた毛利両川と称される小早川家と吉川家がありますが、その吉川家は岩国藩を与えられました。岩国城を山上に臨む錦川にかかる錦帯橋の近くに、佐々木小次郎が燕返しを考案し、さらに鍛錬を繰り返して会得した場所があります。佐々木小次郎が物干し竿と言われる長刀を見事に抜いて燕返しを完成した瞬間の像があります。その近くに吉川家に伝来する国宝　太刀　銘為次　号狐ヶ崎（工芸品39）を所蔵する吉川史料館があります。狐ヶ崎の号は、源頼朝の死後正治2年（1200年）御家人66名の連判状による、頼朝の忠臣大目付梶原景時の鎌倉追放と一族討伐を主張する内紛が発生、いわゆる梶原景時の変です。その際源頼朝に従軍して奥州合戦に参戦していた吉川家2代当主吉川友兼がこの太刀を振るって武名高い三男梶原景茂を討ち取った場所が駿河国狐ケ崎（現静岡市葵区川合付近）だったことからこの名が付けられました。以後吉川家の家宝として800年余に亘って代々伝えられてきました。ここに出かけた平成23年（2011年）10月丁度、常陸宮殿下がその刀を見学に来られ、「そのまましばらく動かないでください」と案内放送があり、その刀の近くで待っていました。館員の説明を聞いて「あっ、そう」と頷かれる皇室言葉の生の声を聞いて、妙に感動したことを思い出します。

薩摩藩島津家72万石には太刀　銘国宗（工芸品244）が代々伝わりました。文久3年（1863年）5月孝明天皇から勅命によって島津斉彬に照國大明神の神号を授けられましたので鶴丸城の南泉院に神社を創建しました。そして昭和2年（1927年）30代当主島津忠重がその国宝を島津家の祖忠久の700年祭にあたって照國神社に奉納したものです。しかしこの太刀は戦後の混乱期にアメリカ人愛刀家コンプトン氏の入手するところとなりましたが、昭和38年（1963年）日本に返還され現在は鹿児島県歴史資料センター黎明館に保管されて年２回（１月と８月）特別展示されています。国宗は備前国の直宗派の刀工で、京の粟田口派の刀工国綱とともに鎌倉幕府に召されて新たな相州伝を新たに作り上げました。国宝は鎌倉中期の初代国宗の作と考えられ、刀の身幅広く反りが大きく、鎌倉中期の特徴を示す豪壮な姿は鎌倉武士に好まれたと思われます。

島津家文書８４８巻、７５２帖、２６２９冊、２幅、４９０６通、１６０鋪《ぽ》、２０７枚（古文書59）は平安時代末期から明治時代廃藩置県までの７００年間島津家が代々伝えてきた、政治、外交、社会経済、行政、任官などあらゆる分野に亘る総数１万５１３３通の質量を誇る武家文書群です。篤姫の手紙も含まれています。西南戦争では鶴丸城から桜島に、第二次世界大戦では米軍の空襲激化を避けて長野県に疎開させ大切に島津家は保存してきました。昭和32年（１９５７年）東京大学に譲渡され東京大学史料編纂所に伝わり、東京大学出身者待望の国宝指定は比較的最近で平成14年（２００２年）でした。皆さん沢山あるだろうと思われる東京大学所蔵唯一の国宝です。

土佐藩山内家24万石に伝来したのは、古今和歌集巻第廿　高野切本（書跡・典籍16）ですが、山内家ゆかりの東京の個人の方から平成29年（２０１７年）の開館に合わせ譲渡され高知城歴史博物館に所蔵されています。土佐藩では国宝１件と高知城の15棟が重文です。

佐賀藩鍋島家36万石の国宝　催馬楽譜（書跡・典籍１２６）は民間の歌謡をもとに平安貴族により雅楽の拍子や旋律に合わせて編曲され愛好された宮廷歌謡の現存最古の写本です。11世紀中頃の名筆により藍や紫の繊維を漉き込んだ料紙に温雅な筆致の万葉仮名で57曲が書かれています。昔から長い間鎌倉時代の宗尊親王の筆によると言い伝えられてきましたが、信憑性は乏しいと思われます。もっと古い平安時代の写本であろうと考えられます。公私ともに雅楽に力を注いだ鍋島家第11代当主で戊辰戦争の指揮も執った鍋島直大《なおひろ》公が明治20年（１８８７年）ごろ購入しました。それを平成12年（２０００年）東京都在住の第14代当主直要《なおもと》氏が鍋島藩ゆかりのものの全てをまとめて徴古館は寄贈しました。徴古館は鍋島家12代当主直映《なおみつ》公により昭和２年（１９２７年）に創設された佐賀県の歴史博物館です。お陰でようやく佐賀県最初で現在唯一の国宝と登録されました。徴古館に出向くと玄関前に堂々とした蘇鉄が植えられており、国宝二条城本丸御殿の蘇鉄の間があり、鍋島藩初代藩主鍋島勝茂公から贈られた、前庭の蘇鉄がその名前に由来になったことを思い出し、妙に納得が出来ました。

足利・織田・豊臣・徳川の天下人に仕えた細川家は芸術の殿様

細川家は室町幕府の守護大名から管領へと進んだ武門の誉れ高い家柄で、初代細川藤孝、雅号幽斎は15代将軍足利義昭の側近から、信長に従い、秀吉に服し、2代忠興は家康に属し関ヶ原の戦いの功により小倉藩40万石を得て、戦国時代の荒波を乗り切りそして現在に至る稀有な名家です。3代忠利の時、肥後熊本藩54万石を与えられ、強力な外様大名となりました。明治に入り「美術の殿様」と呼ばれるほど美術品のパトロンとして活躍した16代当主細川護立が65歳の時昭和23年（1948年）日本刀の保護を目的とした日本美術刀剣保存協会を設立し、昭和25年（1950年）には細川家が所有する文化財の散逸を防ぐ目的で永青文庫を東京

戦国の3英傑の仕えた肥後熊本藩細川家の
「国宝の刀」展を見に出かけて

目白の細川家下屋敷跡に開館しました。国宝8件、重文32件を所蔵しています。その名前の由来は初代藤孝の養家の始祖細川頼有以降8代の菩提寺である京都建仁寺塔頭永源庵の「永」と藤孝が信長から賜わった山城の居城青龍寺城の「青」の二字をとって細川護立が名付けたものです。

では国宝8件の紹介を始めます。

太刀 銘豊後国行平作 古今伝授の太刀（工芸品7）は表裏に重量を減らすための棒樋と呼ぶ溝を彫り、腰の部分の樋中に彫刻が施されています。表は梵字と倶利迦羅龍、裏は梵字と帝釈天像が彫られている装飾に富む名刀です。これが古今伝授の太刀と呼ばれる所以は関ヶ原の戦いまで遡ります。関ヶ原の戦いの時には既に家督を譲っていた細川幽斎の嫡子忠興がいち早く徳川に与することを決め出陣、そのすきに慶長5年（1600年）500人で守る幽斎の居城田辺城が1万余の西軍に取り囲まれ、半月で落城寸前となりました。当時幽斎は、三条西実枝《さんじょうにしさねき》から歌道の奥義を伝える「古今伝授」を相伝されており、後陽成天皇は古今伝授の断絶を恐れ、三条西実条、中院通勝、烏丸光広の3名を勅使として派遣し、講和を命じました。これにより関ヶ原の戦いの2日前に籠城が解かれ、幽斎から三条西実条に返し伝授が行われ古今伝授が途絶える危機は回避されました。また残りの二人にも古今伝授を行いその際に幽斎から烏丸光広にこの太刀を贈ったという経緯から「古今伝授の太刀」と呼ばれるようになりました。昭和になってから細川家が買い戻しました。

短刀 無銘正宗　名物庖丁正宗（工芸品70）は相州正宗の作で、その太幅の包丁風の姿から包丁正宗と号し、正宗の作風をよく示す一口で享保名物帳に所載があります。一時は毛利の安国寺恵瓊の愛刀であった時期がありますが三河の奥平松平家に伝来し現在は永青文庫所蔵になっています。同名の国宝　包丁正宗は既に紹介した尾張徳川家がパトロンとなって徳川美術館（工芸品１４４）に伝来、日向延岡藩主の内藤家伝来は、爪付き護摩箸の透かし彫りがあるため「包丁透《す》かし正宗」と呼ばれ現在は大阪府の個人蔵（工芸品73）になっています。

短刀　銘則重　号日本一則重（工芸品１１９）はその素晴らしさが群を抜き、松皮肌が目立たず、出来栄え日本一との評価から「日本一則重」と呼ばれています。松皮肌とは、太い金筋が入っているように見える地景《ちけい》の大板目肌が、渦巻き状となる鍛えのことで、類稀なる則重の個性として知られます。越中国呉服郷則重唯一の国宝です。

刀　金象嵌銘光忠　光徳（花押）生駒讃岐守所持　号生駒光忠（工芸品１６１）は備前長船光忠の作で、本阿弥光徳の極めが付いています。豊臣秀吉に仕えて讃岐を所領にした生駒讃岐守親正の所持名があり、世に生駒光忠と号して名高い名刀です。明治33年（１９００年）に16代細川護立侯爵が購入する機会を得ました。

柏木兎螺鈿鞍《かしわみみずくらでんくら》（工芸品１３９）は源頼朝が愛用した、意匠及び技法が卓越した鞍で、現存する螺鈿の鞍の代表的な傑作です。両輪の外側に、柏の木とその枝にとまる木兎《みみずく》を螺鈿で装飾していることから、この名が付けられました。『平治物語』には、源頼朝が「栗毛なる馬に柏木にみみつくすりたる鞍をかせて」とあり、柏木兎の意匠の鞍に騎乗している様子が記されています。細川幽斎はこの鞍を将軍足利義輝から拝領したと伝わっています。

時雨螺鈿鞍（工芸品8）には源義経が愛用したという言い伝えがあり、これまた日本の鞍の最高傑作と言われる作品です。葦手絵《あしでえ》という和歌の内容にちなんだ図柄の樹木、草花、岩などのどこかにその歌の文字を装飾的に組み込む手法で螺鈿を施した黒漆塗の鞍です。この鞍には松に絡み付く葛の葉の間に「恋」「時雨」「原」などの文字が配されており、新古今和歌集の中の慈円作「わが恋は松を時雨にそめかねて　眞葛が原に風騒ぐなり」時雨がいくら降っても松が紅葉しないように、あなたが私になびいてくれない、葛の原が風に騒ぐように、あなたを待つ私の心は千々に乱れるばかりという恋の歌が、繊細かつ大胆に武人の鞍に織り込まれています。

中国古代の工芸品も細川家の国宝です。金銀錯狩猟文鏡（考古資料32）は中国戦国時代の鏡で、中国河南省洛陽の墓から出土しました。鏡の背には騎馬上の武人が右手に剣を取って構え、これに襲い掛かろうとする虎の極めて写実的な表現から狩猟文鏡と名付けられました。金属模様に金と銀の細い線をはめ込む技法の金銀錯による世界的にも最も優れた鏡で「細川ミラー」の名で知られています。

金彩鳥獣雲文銅盤（考古資料33）は中国前漢・後漢時代の直径36・5㎝の小さなたらいのような水器です。中央の四葉文の周囲に虎や龍の文様が廻らされています。

永青文庫には色々とご紹介したいことがあります。大英博物館所蔵の春画を日本で大公開しようと有名美術館に打診しましたが、どこも引き受けないのを聞いて、元首相、細川護熙理事長は「春画は日本芸術の華の一つ。既に無修正での出版物が流通しているのに本物が見られないのはおかしな話。タブーは破っていかなければならない。義侠心で」開催を引き受けました。細川家の粋な精神が引き継がれています。18歳未満は入場禁止でしたが、行ってみると女性客が多くて吃驚しました。中でも若い女性の会話の「こんなのしてもらったことないわ」には目を丸くしてしまった記憶があります。私が選んだ傑作は石原慎太郎の芥川賞受賞作『太陽の季節』にもあるような障子破りと戦場から勝ち戦さで帰還した武将が玄関から着けている兜や鎧や大袖などを次から次へとまどろっこしい仕草で脱ぎ捨てながら、寝屋で満面の笑みで迎える奥方に辿り着く連続コマのように描かれた絵巻物でした。武将の気持ちが良く分かる名作です。ご覧にならなかった方は残念でした。これぞ国宝じゃないかとおもったものです。

細川家の国宝を見に行くと、皆さんにはもっと興味を引く美術品に出会い思わず足が止まり、名前を覗き込んでしまうかもしれません。それは宮本武蔵と大石内蔵助の墨絵です。いずれも所以あって細川家の食客となった歴史上の人物です。宮本武蔵の「鵜図」「紅梅鳩図」「芦雁図屏風」は洒脱な墨絵でこの３件は重文です。「忠臣蔵」で有名な大石内蔵助の墨絵は、吉良上野介討ち入り後にお預けとなり、切腹までの日々を過ごした縁で無聊を慰めるために描いた絵です。昔の武士にはそうした心得があったのですね。

脱線ついでに寄り道すると元禄14年（１７０１年）旧暦3月14日赤穂浅野家の浅野内匠頭が吉良上野介に斬り付けた松の廊下の刃傷沙汰後、お預けになったその日に切腹をさせられたのが新橋にある田村右京太夫の屋敷です。その屋敷跡にあるのが「新正堂」という御菓子司です。そこの名物は「切腹最中」で、あんこが最中の皮から大きくはみ出している姿が切腹をイメージしています。私は自分や部下のミスやチョンボで謝りに行く時は、これを求めてお詫びの印とさせて頂きました。大抵はすんなりお許しを得たものでした。お店は内匠頭が切腹になった元禄14年（1701年）3月14日や47士が切腹させられた元禄16年（1703年）旧暦2月4日よりも元禄15年（1702年）旧暦12月14日吉良家に討ち入りをした日の方がお客さんは殺到して大行列です。またここには色々なもじりのお菓子がありますから赤穂義士の日でなくとも1度お立ち寄りください。例えば、部下が昇進すると「出世の石段」を買ってみんなでお祝いしたものです。これは三代将軍家光の命で愛宕山の梅の枝を取りに乗馬のまま石段を上下した高松藩馬術家、曲垣平九郎が名を成した由来から作られたクッキーです。

細川家とは真逆の結果となった米沢藩上杉家の国宝

細川家と同じく上杉謙信は室町幕府の管領になり、その後三英傑に仕えた細川家とは真逆な結果になったのが上杉家です。上杉謙信から始まった上杉家120万石は時代の荒波の中で過酷な命運を辿り米沢藩30万石から15万石に減封されました。上杉謙信の信条「無欲と義の姿勢」が残念ながら災いしたのかもしれません。

平成13年（２００１年）伝国の杜として上杉氏ゆかりの宝物を集めて米沢市上杉博物館が開館しました。国宝2件、重文３件が収められています。信長が謙信に贈った狩野永徳作　洛中洛外図屏風八曲一双（絵画１５４）と上杉家文書２０１８通、４帖、26冊（古文書58）です。上杉家文書の中には信長、秀吉、家康３英傑の書状が国宝として残っていますし、家老の直江兼続の起請文案も国宝です。口述した内容を祐筆が書き下ろして、署名代りの花押を書いていますので、見比べてみてください。信長が使った信長の裏返しの花押と麒麟の麟の花押、秀吉の悉《ことごとく》の悉の花押、家康の五と乃の組み合わせの花押といずれも特徴的ですが、分けても直江兼続の眼鏡のような花押は特異で見分けやすいと思います。

仙台藩62万石伊達政宗ゆかりの国宝

仙台城三の丸跡にある博物館、仙台市博物館は仙台藩伊達家から市に寄贈された資料をはじめ、仙台藩62万石に関する史料などを収蔵し展示しています。江戸時代初期の慶長18年（１６１３年）に仙台藩主伊達政宗が宣教師ルイス・ソテロと文倉常長らをスペイン、ローマへ派遣した使節に関係する資料で、ユネスコ世界記憶遺産にも選ばれた国宝　慶長遣欧使節関係資料（歴史資料１）が貴重です。支倉常長が欧州から将来した遺品、油彩画の支倉常長像、当時のローマ教皇パウロ5世の肖像画、常長がローマで受けた羊皮紙のローマ市公民権証書、キリスト教のミサで使用する祭服や十字架等5具など47点から構成されています。江戸時代初期の日欧交渉の実態を物語る貴重な品々です。常長の没後は仙台藩切支丹改所に保管され、今日まで伝来しました。常設展で持ち帰った品や絵画などを入れ替えながら展示されています。

もし仙台市博物館に行かれることがあれば、お城の入口お堀の橋を渡る時に注意して見てください。アイスダンスしている男女の像が見えます。そこがお堀の一部だった五色沼でフィギュアスケート発祥の地です。だから仙台が日本の金メダリスト荒川静香と羽生結弦の出身地なのだと妙に納得がいきました。

国宝　瑞巌寺本堂　元方丈（建造物１０５）は伊達政宗が慶長14年（１６０９年）それまでの延福寺を瑞巌寺と改名し伊達家の菩提寺として大規模な方丈建築で再興しました。欄間や襖絵、扉などに桃山建築の粋が見られます。江戸時代前期元禄2年（1689年）に俳人松尾芭蕉が参詣した時はその方丈です。方には四角形の意味があり、丈は長さの単位で、1方丈は約3m四方の大きさを表します。この方丈サイズの草庵は簡単に建てられ、簡単に解体することが出来たため、僧侶や隠遁者に愛用されました。鴨長明の方丈記は方丈の庵で書かれたことによる題名です。伊達政宗の方丈建築は桁行十三間、梁間八間、入母屋造りの本瓦葺で御成玄関が付いた広壮な方丈建築です。

瑞巌寺庫裏及び廊下　2棟（建造物197）は方丈とほぼ同時期に建てられた社務所と台所や食堂の機能を持った建物です。切妻造りで調理場らしく煙り出しの大屋根を架けた形式で、正面に桃山風の唐草模様を付けています。廊下は庫裏と本堂を結ぶ通路で、東廊下六間、中廊下十一間、西廊下二間あり、ここにも垂木装飾が施されています。庫裏が国宝になっているのはここ以外、京都妙法院庫裏（建造物188）だけです。廊下が国宝になっているのはここ瑞巌寺だけです。

大崎八幡宮（建造物77）は坂上田村麻呂が宇佐八幡宮より勧請し水沢に鎮守府八幡宮を創建したのを室町時代に奥州管領大崎氏が、自国領内に遷し大崎八幡宮と呼びました。それを伊達政宗は仙台62万石の総鎮守のため、当代随一の名工を集め、

仙台藩伊達政宗造営の大崎八幡宮本殿の正面で

仙台城の陽が極まる乾の方角、北西の現在の地に、慶長9年（1604年）から3年をかけて造営しました。社殿は本殿、石の間、拝殿で構成され、現存する最古の権現造りで、安土桃山時代を代表する豪華絢爛な建造物となっています。

ちなみに旧国宝であった瑞鳳殿《ずいほうでん》は、仙台市青葉区霊屋下の仙台藩祖伊達政宗の霊廟です。広瀬川の蛇行部が仙台城の本丸跡と向かい合う経ヶ峯にあります。瑞鳳殿は、本殿、拝殿、唐門、御供所、涅槃門からなり、桃山文化の華麗な麗な建築を誇りました。残念なことに第二次世界大戦終戦の35日前に米軍による仙台空襲によって焼失してしまいました。現在の建物は昭和54年（１９７９年）に再建されたものです。

江戸時代の粋人大名は松江藩の松平不昧公

泰平の江戸時代の大名になると粋人も出ました。その第一は出雲松江藩20万石の第７代藩主松平治郷《はるさと》ですが、江戸時代の代表的茶人の一人で、号の不昧《ふまい》の方が有名です。彼は国宝の大井戸茶碗　喜左衛門（工芸品26）の愛玩者でもありました。慶長16年（１６１１年）徳川家康が豊臣秀頼と二条城で会見した際に使われた天下第一の茶碗です。16世紀前半の朝鮮李氏王朝の時代に作られた井戸茶碗です。井戸の名前の由来は諸説あり決定的なのはありませんので、覗き込むと井戸のような深さを感じるため井戸茶碗と呼んだ説を一押ししておきます。枇杷色の大ぶりの茶碗ですが、枯れているにも拘わらず力強さが感じられ、刀の柄に巻かれた鮫皮のことを梅華皮《かいらぎ》といいますが、この井戸茶碗の高台が梅華皮のようにゴツゴツしているのが武将たちのお気に入りになって評判を高めたように思います。江戸時代初期慶長

（1596年～1615年）の頃は茶碗の銘の由来となった大阪の豪商竹田喜左衛門が名物の茶碗を所有していました。家康が二条城で豊臣秀頼をもてなした時に使用したとの記録がありますから、家康は借りたのでしょうね。しかし竹田家は没落してしまい、人手に渡りましたが、不昧公は松江藩の財政再建を果たした安永9年（1780年）頃京都の道具商から家臣たちの反対を押し切って550両（日本銀行貨幣博物館の換算目安1両13万円を採用すれば現在の7150万円に相当）で購入しました。この茶碗には因縁があって茶碗の肌のようにぶつぶつ腫れものが出来ると言われており、不昧公も家族も例外でなく、不昧公の死後とうとう奥方が文政5年（1822年）現在の所蔵者である大徳寺孤篷庵《こほうあん》に寄進してしまいました。大井戸茶碗を大徳寺に駕籠《かご》で運んだようで、そのお駕籠が松江歴史館に残っています。

天下人を目指した武田信玄の武田家に代々伝わり、国宝に指定されているのは小桜韋威鎧　兜《かぶと》大袖付（工芸品79）です。甲州市塩山の菅田天神社に所蔵されています。この鎧は甲斐源氏の始祖とされる源義光以来、武田家の家宝として相伝され、楯を必要としないほど堅固という意味で、楯無鎧《たてなしのよろい》とも呼ばれています。武田信玄が菅田天神社に奉納しました。胴など本体の大部分は鎌倉時代に製作されたものです。

山形県鶴岡市の庄内藩14万石は徳川四天王の筆頭と言われた酒井忠次を祖とし、三代目忠勝が元和8年（1622年）に領内に入ってから明治の版籍奉還まで酒井家が治めました。その第16代酒井忠良氏が昭和25年（1950年）に地方文化の発展に資することを目的に致道博物館を設立しました。国宝2件、重文6件があります。致道の名称の由来は、庄内藩校「致道館」によるものですが、武士道に合致することを意味します。

太刀　銘真光　附糸巻太刀拵（工芸品90）は長篠の戦いで酒井忠次が鳶巣山《とびがす》砦攻撃で功を遂げたと信長から下賜されました。真光は備前国長船の名工長光の門下ですが長光にも劣らぬ刀工で鎌倉時代の名刀です。

太刀　銘信房作　附糸巻太刀拵（工芸品40）は酒井家初代忠次が天正12年（1584年）徳川家康・織田信雄陣営が豊臣秀吉に負けなかった小牧・長久手の戦いで戦功をあげ徳川家康から授けられたものです。信房は古備前の福岡一文字派の刀工で、細身で反りが大きく美しい姿の名刀です。
また構内には明治の代表的な洋風建物、旧西田川郡役所、旧鶴岡警察署庁舎の2棟と江戸時代創建の湯殿山山麓の民家、旧渋谷家住宅が移築保存されており、いずれも重文です。

柳川藩主立花家11万石が500年に亘る美術工芸品を収蔵しているのが立花家史料館です。短刀　銘吉光（工芸品137）が国宝です。山科から京都への入口の粟田口に名工が集まり、その中の吉光は通称藤四郎と呼ばれ、短刀作りの名手と知られています。その立花家の邸宅跡が柳川に残り、お花畑と呼ばれる立花氏庭園を1階と2階から、正面からも横からも眺められます。そのゆったりとした大名屋敷での食事と柳川の水路に舟を浮かべてのんびりとした大名気分を味わうのも良いものです。国民的詩人で童謡作詞家の北原白秋の故郷でもあり柳川お堀巡りを是非お試しください。途中で陸から舟上の記念写真を撮ってくれますよ。

第8章

番外編

人間国宝は国宝ではありませんが、国の宝です

Q32 人間国宝は国宝ですか？ 国宝ですよね？

皆さんからよく質問を受けます。私は「いや違います。人間国宝は国宝ではありませんが、まさしく国の宝です」とお答えしています。昭和25年（1950年）制定の文化財保護法第71条第2項に基づき文部科学大臣が指定した重要無形文化財の保持者として各個認定された人物を指します。その後昭和29年（1954年）に改定されて重要無形文化財指定と保持者認定の制度が創設されました。そして昭和30年（1955年）に最初の28人と1団体が認定されたのが始まりです。文化財保護法には人間国宝という文言はありませんが、重要無形文化財保持者を皆さんが尊敬の念を込めて人間国宝、生ける国宝とお呼びしています。重要無形文化財保持者は勿論死亡により認定も解除されます。

まず無形文化財とは「演劇、音楽、工芸技術その他の無形の文化的所産で我が国にとつて歴史上又は芸術上価値の高いもの」と文化財保護法第2条1項で定義されています。言ってみれば無形の文化財は人間のわざそのものであり、具体的にはその匠のわざを体得し、体現した個人又は個人の集団によって表現されるものです。そうして無形文化遺産を支える制度として機能しています。保持者又は保持団体の認定には、各個認定、総合認定、保持団体認定の三つの方式が採られており、そのうち特定個人を認定された方が人間国宝です。〇〇保存会などの保持者の団体の構成員を総合的に認定するものが総合認定ですので、その構成員は人間国宝とは呼びません。

尚、文化庁は人間国宝と呼ぶことに誤解を与えないように注釈を付けています。「わざ」を文化財として指定し「わざ」の高度な体現者を認定しているのであって「人」の功績をたたえて表彰している訳ではない、としています。文化勲章や文化功労者とは別ということでしょうか。

芸能の部は雅楽、能楽、文楽、歌舞伎、琉球の伝統舞踊劇の組踊、音楽、舞踊、演芸、演劇の９つの分野、主だった多くの芸能が発生当時から脈々と継承されているのは世界の中でも稀なことです。芸能の中で世界無形文化遺産として認定登録されたのは、平成20年（２００８年）に能楽、人形浄瑠璃文楽、歌舞伎、平成21年（２００９年）に雅楽、平成22年（２０１０年）に組踊があります。これほどの数の芸能が認定されている国は他には見当たりません。工芸技術の部では、陶芸、染織、染織（伊勢型紙）、漆芸、金工、刀剣、人形、木竹工、金箔銀箔を貼る截金《きりかね》や象牙細工の撥鏤《ばちる》などの諸工芸、手漉和紙の10の分野に分類され認定されています。

　二人以上の者が一体になって重要無形文化財を高度に体現されている場合も指定されます。それを総合認定と言います。例えば、雅楽には個人認定はありませんが、二人以上の組となって総合認定を受けている宮内庁式部職楽部には令和４年（２０２２年）には現在20名余在席で延べ１２９名おられます。余談ですが、宮内庁式部職楽部の多氏、上氏、東儀氏など長く世襲でした。さらに余談ですが、鵜飼いの中で長良川の鵜匠だけは宮内庁式部職鵜匠として国家公務員です。魚へんに占うと書くのは神功皇后が鮎釣りで戦勝占いをして見事勝利を得た故事から生まれ、長良川の鵜匠が宮内庁で保護されることが始まった由と、鮎釣り名人の後輩が教えてくれました。手漉和紙では世界文化遺産に平成21年（２００９年）登録された石州半紙や平成26年（２０１４年）登録された細川紙、本美濃紙のように手漉き和紙技術の個人認定がなくても、細川紙の細川紙技術者協会、石州半紙の石州半紙技術者会、本美濃紙の本美濃紙保存会が総合認定を受けています。他の和紙で個人認定された人間国宝が5人おられ存命は越前奉書の9代目岩野市兵衛氏お一人です。

　また性格上個人的な特色が薄く、またその工芸技術を保持されている者が多数おられる場合において、これらの者が主たる構成員となっている保持団体として認定されます。芸能では「宮内庁式部職楽部」「人形浄瑠璃文楽座」「義太夫節保存会」「琉球舞踊保存会」など14の保持団体が認定され、工芸技術では「輪島塗技術保存会」「久留米絣技術保存会」「柿右衛門製陶技術保存会」など16の保持団体が認定されています。


　人間国宝の前身は、明治維新により文化的パトロンであった将軍家や大名を失って技術の継承が難しい事態を救済するために明治23年（1890年）に設立した「帝室技芸員」制度です。認定された技芸員は皇室の依頼を受けて外国に誇れる超絶技巧の作品を中心に製作を続けました。明治26年（1893年）のシカゴ万博や明治33年（1900年）のパリ万博で日本の美術工芸品の素晴らしさが世界中から高い評価を受けました。

　帝室技芸員の中には漆工の柴田是真、絵画の橋本雅邦、河合玉堂、下村観山、富岡鉄斎、横山大観、橋本関雪、黒田清輝、竹内栖鳳、安田靫彦、堂本印象、鏑木清方、上村松園、前田青邨、小林古径、安井曽太郎、梅原龍三郎、岡田三郎助、彫刻の高村光雲、平櫛田中、朝倉文夫、陶芸の宮川香山、板谷波山、七宝の並河靖之などの錚々たる著名な画家や作家が挙がります。分野別には絵画44名、彫刻・彫塑7名、彫金・金彫4名、陶芸4名、蒔絵3名、工芸3名、織物、建築、七宝、刀剣が各2名と他に漆工・鋳業・鍛金・写真・図案それに篆刻などは1名と計79名が指名されていました。

現在、人間国宝の認定は、文科大臣の諮問機関である文化審議会を通じて文科大臣に答申します。文部科学省内に専門調査会があり、そこでは申請や推薦は受け付けていませんが、30名余の委員が調査した結果を文化財分科会に上げて有識者5名で審議し議決する仕組みです。フランスでは日本の制度を見倣って伝統工芸の保存・伝承・革新を旨としたメートル・ダール（Maître d'Art：フランス人間国宝制度）を1994年に創設しています。日本にはない分野に傘、折り布、紋章、羽根細工、ガラスなどがあります。2016年時点でフランスでは延べ124名の人間国宝がおられます。これ以降の日本語での数字の更新が見当たりませんが、（仮訳）

人間国宝協会ＩＮＭＡでは家具と装飾、建築と庭園、革、楽器制作、ゲームと玩具、光、ファッションとアクセサリーなど日本の人間国宝の分野にはないものも含めて16の分野の２８１の職業にフランス人人間国宝はいらっしゃるようです。

Q33 日本では人間国宝は何人いらっしゃるのですか？

令和５年（２０２３年）９月１日現在１１３名が存命でご活躍中です。芸能の部では８分野40件の重要無形文化財の指定種類があり、59名の保持者が人間国宝です。工芸技術の部では10分野79件の指定種類があり、54名の保持者がおられます。合計１１９種類の重要無形文化財で存命の人間国宝は１１３名です。人間国宝の数は自然と減り、新たに認定されて増えるということで増減を繰り返しています。ある意味刻々と変化していますので、なかなか正確に掴みきれないのが悩みです。

奇怪と感じるのは、昭和30年（１９５５年）人間国宝認定開始以来芸能の雅楽分野に１人も人間国宝がいらっしゃいません。そろそろ出ても良いのではないでしょうか。またこれまで指定された人間国宝の延べ人数と実人数が違うことが起こります。その理由は同じ名人名工が2つ以上の分野の重要無形文化財の保持者に認定されていたからです。過去に荒川豊蔵さんは陶芸の志野と瀬戸黒、喜多川平朗さんは染織分野の2本の経糸をよりながら横糸を織り込む絡み織を用いた目の粗い絹織物の羅と朝廷をはじめ公家の間で用いられる装束や調度などの織物類の有職《ゆうそく》織物、北村武資さんは同じく染織分野の羅と奈良時代に多く地も模様も経糸《たていと》で織り込む錦の経錦《たてにしき》の二つの工芸技術保持者に認定されたからです。

分野別に延べ人数をみると、芸能では、雅楽認定なし、能楽49名、文楽27名、歌舞伎36名、組踊5名、音楽73名、舞踊13名、演芸6名、演劇2名の211名。工芸技術では、陶芸38名荒川豊蔵が昭和30年（1955年）に志野と瀬戸黒のダブル保持者と認定、染織45名喜多川平朗が昭和31年（1956年）羅と昭和35年（1960年）有職織物のダブル保持者と認定、北村武資が平成7年（1995年）羅と平成12年（2000年）経錦のダブル保持者と認定、染織の伊勢型紙6名、漆芸22名、金工26名、刀剣11名、人形7名、木竹工19名、諸工芸4名、和紙5名の計

183名、実人数では180名が指名されています。不思議に思われるのは技術工芸分野に絵画が入っていません。帝国技芸員時代には絵画に圧倒的な数の認定者がいましたがどうしてでしょうかね。残された作品が国宝と評価される可能性があるからでしょうか。それだけでは工芸品も作品として残るので理由としては不可解です。長い間連綿と受け継がれる芸と技を高度に体得し後進に伝えるという伝承性や継承性が絵画には乏しいようにも思いますが、水墨画とか大和絵とかは技術工芸に加えても良さそうに思えますが。そうすると書道はどうなのかということになりますかね。

Q34　人間国宝は国から何か頂けるのですか？

皆さんの質問で次に多いのがこれです。その金額は技術の保存と後進の育成料として助成金として年額200万円程度は交付されています。ちなみに文化勲章や文化功労者は日本国憲法第14条第3項で「栄誉、勲章その他の栄典の授与はいかなる特権も伴わない」と規定されていますので、文化発展の貢献者には報いたいという国民の意図を受けて文化功労者制度を創設し年金制度で報いることにしています。文化功労者への年金は終身年金で年額３５０万円支給され非課税ですので、人間国宝より多いようです。文化庁の人間国宝予算は２０２２年度２億３２００万円でしたので、そのためある程度の定員が想定されています。人間国宝の定員があるとすれば予算面から１１６名で、死亡による欠員が出ないと次の人間国宝認定はされないようです。また文化庁の文化財の継承基盤整備費用は２５２億円ですので、そこから修理修繕費用は賄われていくのだろうと思います。

Q35 人間国宝はお年寄りのイメージですが最年少は何歳ですか？

最年少の認定は色絵磁器の十四代今泉今右衛門さんが平成26年（２０１４年）に認定された時の51歳が最年少です。現在人間国宝の平均年齢は78歳となっています。我々に身近な芸能部門では認定者の多い少ないがあります。その理由は高度な技の細分化が出来る芸能と出来ない芸能の違いです。歌舞伎の場合は立役、女方、脇役など役柄で分類が出来、流派によっても異なるわざとして説明可能です。そのため同じ歌舞伎という種別でも数多くの認定が出来るのです。だから歌舞伎の人間国宝は延べ36名。一方落語や講談はわざの細分化が難しく、せいぜい江戸と上方の二つで、今の新作は歴史が足りません。対象となる分類自体が少ないので落語延べ４名講談延べ２名に留まっています。

身近な人間国宝の芸を見に行きましょう、聞きに出かけましょう

人間国宝の見事な技を見に行こうと思えば比較的機会の多いのは芸能です。歌舞伎や狂言と落語や講談だと思います。是非人間国宝の匠のわざや芸を見にいきましょう。聞きに出かけましょう。本当に凄いと感じます。私自身は人間国宝の芸として長く楽しんできたお二人が亡くなってしまいこの上なく残念です。歌舞伎の二代目中村吉右衛門は歌舞伎を離れても鬼平犯科帳の演技は粋でした。落語の十代目柳家小三治の芸は本当に惚れ惚れする味わいでしたが、特に絶妙の枕が好きでし

た。存命のうちに歌舞伎の七代目尾上菊五郎、十五代目片岡仁左衛門、五代目坂東玉三郎の芸、野村万作の狂言は見ておくべきです。三代目神田松鯉の講談も聞いておくべきだとお勧めします。令和5年（2023年）に新たに認定された落語の六代目五街道雲助は今まで直に聞いたことがなかったので楽しみです。

京舞の五世井上八千代さんの踊りも見に来ましょう。祖母の四世井上八千代さんが平成16年（2004年）に亡くなって京舞の指定が解除されたのを復活させた卓抜した技量を見に行きましょう。父の片山幽雪は能楽のシテ役で人間国宝でしたので、親子孫の三代連続の人間国宝というので、血筋なんですね。同じように染織の江戸小紋では小宮家が三代連続認定を受けています。昭和30年（1955年）認定の祖父の小宮康助氏、昭和53年（1978年）認定の父の康孝氏、父の死後1年で復活させた平成30年（2018年）認定の孫の康正氏です。

そして人間国宝の美術品を見るなら、神奈川県湯河原の人間国宝美術館にも出かけましょう。日本人の美意識を具現化した数々の美と技の名品を見に行きましょう。大変有難いことに、人間国宝作のお好きなお茶碗を選んで抹茶を頂けますので、至福の時間をご堪能ください。

後書き

頑張って書いたつもりですが、どうしてもご紹介の説明も濃淡が出てしまいました。ここまでで国宝432件、建造物93件、絵画53件、彫刻33件、書跡・典籍94件、古文書39件、工芸品97件、考古資料22件、歴史資料1件を登場させました。それでも自分が見てきた国宝の半分にもなりません。まだまだご紹介したい国宝は沢山ありますが、とりあえず一区切りとしたいと思います。

Q36 今まで鑑賞した中で、国宝中の国宝と思うものはどれですか？

この質問は大変多くの方から頂きますが、正直どれも甲乙つけがたく一つだけを上げることが出来ませんので、国宝の分野別に私の好き嫌いも含めて選んでみます。昭和26年（1951年）に国宝指定が始まった年の193件は特に旧国宝の中で国宝のテッパンと言われ、新国宝に必ずなると言われていたものが初年度に選ばれたと思われます。建造物38件、絵画26件、彫刻24件、工芸品39件、書跡・典籍53件、古文書11件、考古資料2件です。この中に皆さんも国宝中の国宝と思われるものが沢山あると思います。

建造物は三徳寺投入堂（建造物71）と姫路城大天守（建造物11）、絵画では徳川美術館の源氏物語絵巻（絵画32）と神護寺の伝源頼朝像（絵画14―01）、高山寺の鳥獣人物戯画（絵画46）、彫刻では向源寺観音堂安置の最も艶めかしい十一面観音像（彫刻65）と運慶作円成寺の大日如来坐像（彫刻119）、工芸品では石川県立美術館の色絵雉香炉（工芸品21）と静嘉堂文庫美術館の曜変天目茶碗名物稲葉天目（工芸品17）、伯耆国の名工安綱の名刀で、この刀で源頼光が大江山酒呑童子を切った伝説があり天下五剣の1本である太刀銘安綱　名物童子切安綱（工芸品15）、書跡・典籍では東博と前田育英会に残る賢愚経残巻名物大聖武（書跡・典籍233と226）、教王護国寺通称東寺の弘法大師筆尺牘三通名物風信帖（古文書35）、考古資料では茅野市尖石縄文考古館の土偶縄文のビーナス（考古資料37）、歴史資料では香取市伊能忠敬記念館の伊能忠敬関連資料（歴史資料3）をあげたいと思いま

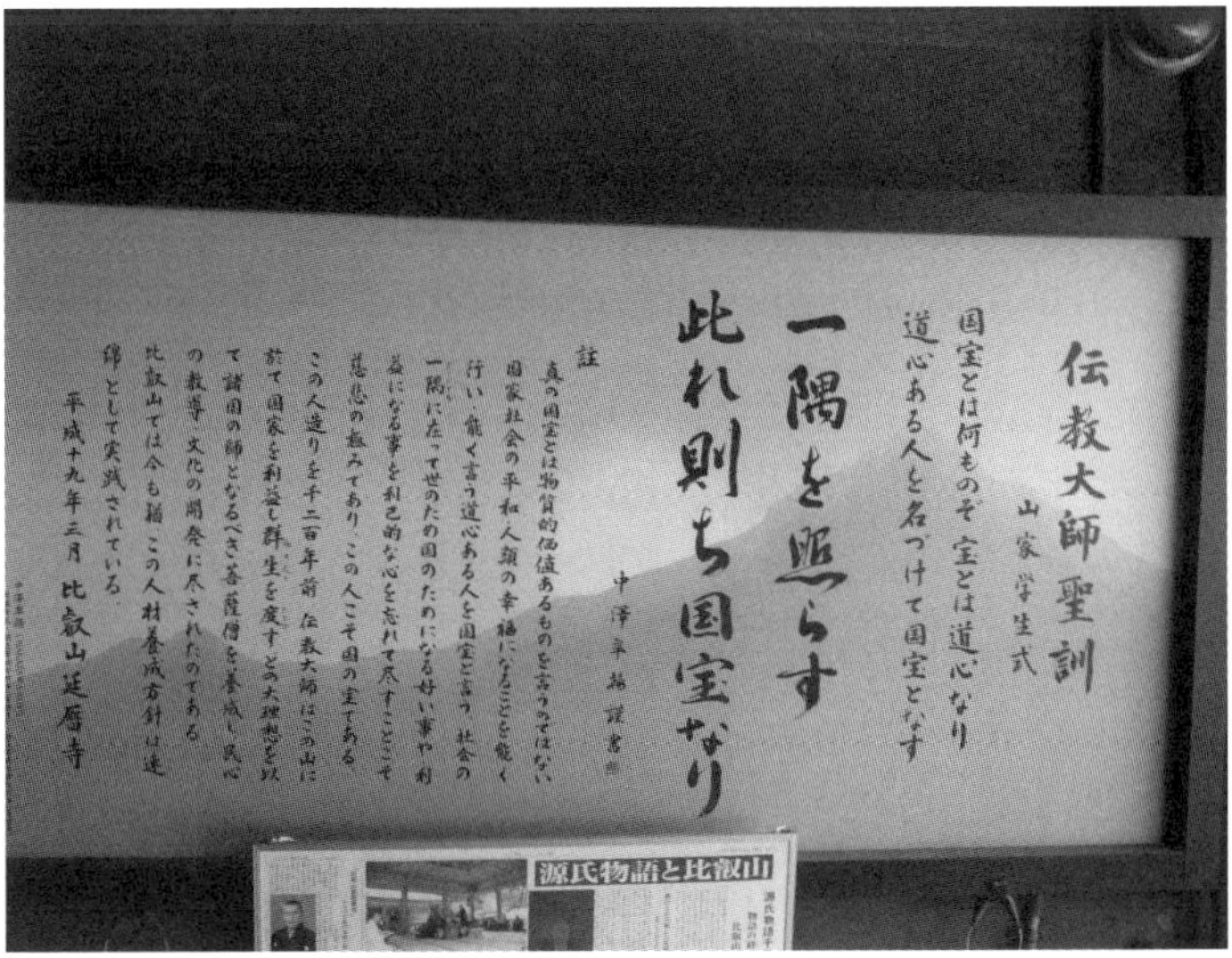

延暦寺国宝根本中堂の扉に書かれた最澄の言葉

す。勿論、それぞれの分野の母数が極端に3件から254件まで差があり不公平感がありますので、100件以上ある分野は2、3件選びました。

でも私にとって本当の国宝中の国宝は、最澄伝教大師の天台法華宗年文学生式に出てくる一節です。比叡山に大乗仏教の戒壇を設立したいと願った最澄が、戒壇設立の目的や僧侶の教育方針を明らかにするため朝廷に提出した3部作山家《さんげ》学生式《がくしょうしき》の一つに書かれた一節です。私は比叡山延暦寺の根本中堂の扉の裏側に書かれていて初めて気付きました。

国の宝とは何物ぞ、宝とは道心なり。
道心ある人を名づけて国宝と為す。
故に古人言わく、径寸十枚、
是れ国宝にあらず、
一隅を照す、此れ則ち国宝なりと。
古哲また云わく、
能く言いて行うこと能わざるは国の師なり、
能く行いて言うこと能わざるは国の用なり、
能く行い能く言うは国の宝なり。

その解釈は次のとおりです。

国宝とは何か、悟りを求める心、道心を持つ人を名付けて国宝という。中国春秋時代に斉の威王と魏の恵王が偶然狩場で出会った時、魏の恵王が直径一寸ほどの強い光を放つ珠で、車の前後およそ12台分までを照らすものが十枚もあります。これがお宝ですと自慢しましたが、斉の威王は4人の徳ある臣下の話をして、彼らはまさに千里の距離を照らすでありましょう、と答えた。恵王は恥ずかしくて赤面したという逸話を引用して、大きな玉で遠くまで明かりを届ける10枚などは国宝ではない。みんなが気付かないような片隅で社会を照らすような人が国の宝だよ。言うことは上手だが行いの出来ない人は国の師匠である。行いは立派だが、言葉の方は上手でない人は国の働き手である、言うことも出来れば行うことも出来る人が国の宝である。これら三人を尊敬しなければいけない。自分の持てる力の全てを自分の仕事に注ぎなさい。

一人一人がそれぞれの持ち場でしっかり一隅を照らしなさいと教えています。これが国宝中の国宝と思っています。自分もそうなりたいと思いますし、皆さん社会の一隅を照らす国宝になりましょう。そう思って頂いたら望外の幸せです。

編集後記：この本に掲載した自身で撮影した写真は全てそれぞれの国宝の所有

者、管理者から掲載許可を頂きました。誠に有難う御座います。心広く国民の宝として皆さんで共有できますこと、改めてここに御礼申し上げます。只一つ、驚いたのは法隆寺だけは自分で撮った写真でも掲載は絶対駄目と断られてしまいました。世界の法隆寺が掲載出来ないのは誠に残念です。過去にきっと事件があったのでしょうね。鎌倉円覚寺舎利殿は掲載どころか我々自身の撮影も許可されていません。過去にパチンコ屋の宣伝垂れ幕に利用されたとのことで文化庁も認めていません。法隆寺にもそうしたことがあったのでしょう。少なくとも読者の皆さんは撮影禁止の国宝や建物は記念にしたいと思ってもルールは守って頂きますようお願いします。

また姫路城の白鷺城とドイツのノイシュバンシュタイン城の白鳥城を対比させましたが、その際白鳥城は浦安にあるおとぎの国のお城のモデルになったと書きたかったのですが、商標権の関係で表現できませんでした。固有名詞の使用にも制限があることを知ったのは大きな収穫になりました。

〈著者紹介〉
米本　薫（よねもと かおる）
1948年　愛知県生まれ、1966年　愛知県立旭丘高校卒業。
1971年　早稲田大学政経学部・早稲田大学英語部WESA卒業。
同年　三井物産株式会社入社、1977年より米国三井物産副社長兼デトロイト支店長。
1999年に帰国後は、薄板貿易部長、三井物産株式会社検査役、三井食品株式会社常勤監査役を歴任し、三井物産グローバルメタルマネジメント株式会社を経て、2011年にYKコンサルタンツ設立、2011年から（株）佐藤ホールディングス顧問。
公認内部監査人Certified Internal Auditor, 情報システム監査士の資格を持つ。経営コンサルタントとして活動。

国宝探訪《こくほうたんぼう》　楽《たの》しさは無限大《むげんだい》

2024年7月19日　第1刷発行

著　者　　米本　薫
発行人　　久保田貴幸

発行元　　株式会社 幻冬舎メディアコンサルティング
〒151-0051　東京都渋谷区千駄ヶ谷4-9-7
電話　03-5411-6440（編集）

発売元　　株式会社 幻冬舎
〒151-0051　東京都渋谷区千駄ヶ谷4-9-7
電話　03-5411-6222（営業）

印刷・製本　中央精版印刷株式会社
装　丁　　野口　萌

検印廃止

Printed in Japan
ISBN 978-4-344-69104-9 C0093
幻冬舎メディアコンサルティングＨＰ
https://www.gentosha-mc.com/